최강 **단원별** 연산

계산박사

POWER

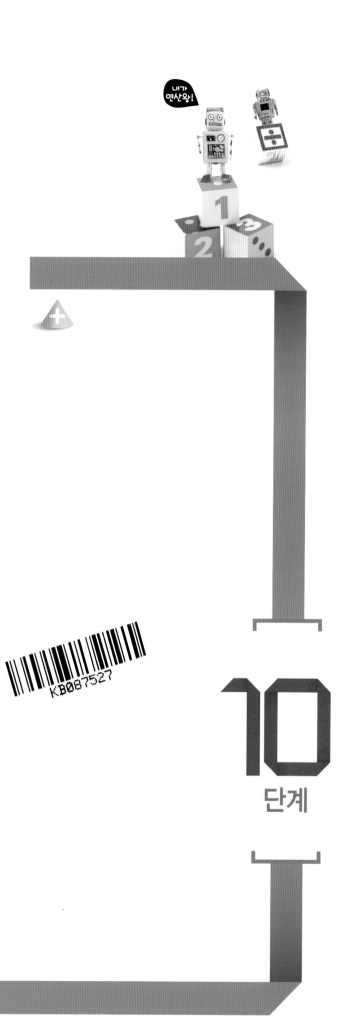

10단계

최강 **단원별** 연산

계산박사

POWER

계산박사 **하나면 충분**하다!

POWER 01
교과서 단원에 맞춘 연산 교재

POWER 02
연산 유형 완벽 마스터

POWER 03
재미 UP! 연산 학습

10단계

최강 단원별 연산

계산박사만의 남다른 특징

1 교과서 단원에 맞춘 연산 학습

교과서 주요 내용을 단원별로 세분화하여 교과서에 나오는 연산 문제를 반복 연습할 수 있어요.

❶ 대표 문제를 통해 개념을 이해해 보세요.

❷ 배운 내용을 아래 문제에서 연습 해 보세요.

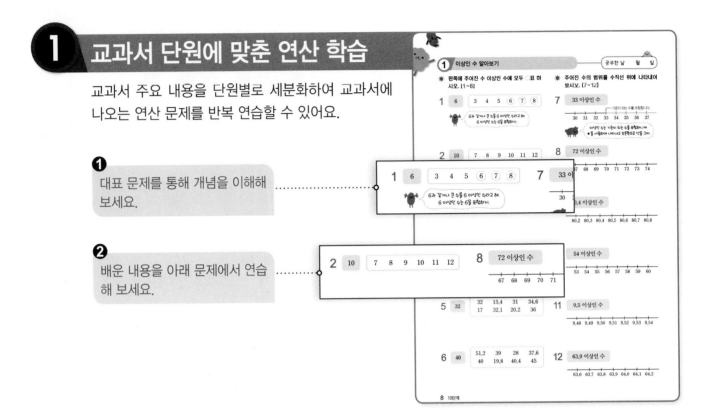

2 무료 모바일 러닝

QR 코드를 찍어 보세요.

문제 생성기 가 무료로 제공됩니다.

문제 생성기 같은 유형의 여러 문제를 더 풀어 볼 수 있어요.

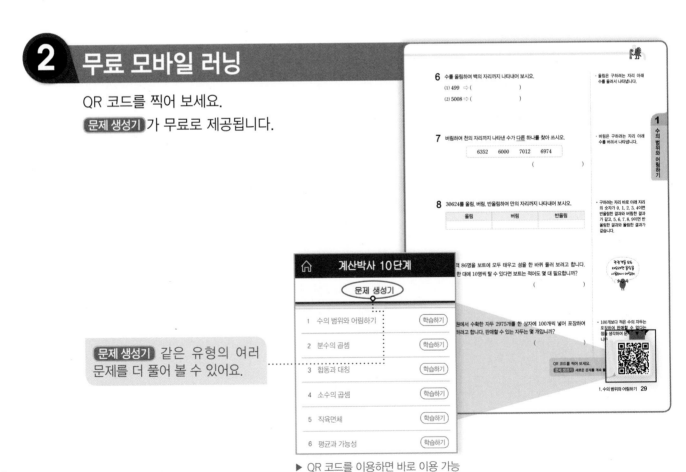

▶ QR 코드를 이용하면 바로 이용 가능

10단계

차례

1 수의 범위와 어림하기

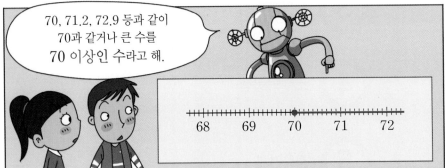

배운 것 확인하기

1 수의 순서 알아보기

☀ 빈 곳에 알맞은 수를 써넣으시오. [1~6]

1
1 작은 수 | 1 큰 수
51 — 52 — 53

50부터 수를 차례로 쓰면
50, 51, **52**, 53, 54, 55……입니다.

52보다 1 작은 수는
52 바로 앞의 수,
52보다 1 큰 수는
52 바로 뒤의 수야.

2
1 작은 수 | 1 큰 수
☐ — 61 — ☐

3
1 작은 수 | 1 큰 수
☐ — 78 — ☐

4
1 작은 수 | 1 큰 수
☐ — 99 — ☐

5
1 작은 수 | 1 큰 수
79 — ☐ — 81

6
1 작은 수 | 1 큰 수
94 — ☐ — 96

☀ 수의 순서에 맞게 빈 곳에 알맞은 수를 써 넣으시오. [7~9]

7 55 — 56 — ☐ — 58 — ☐

8 72 — 73 — ☐ — ☐ — 76

9 88 — ☐ — ☐ — 91 — 92

2 수의 크기 알아보기

☀ 두 수의 크기를 비교하여 ○ 안에 >, <를 알맞게 써넣으시오. [1~8]

1 53 ⓒ 62
　　└ 5 < 6 ┘

십의 자리를
먼저 비교하고,
십의 자리가 같으면
일의 자리를 비교해.

2 77 ⓔ 75
　　└ 7 > 5 ┘

3 84 ◯ 67　　　**6** 56 ◯ 58

4 81 ◯ 83　　　**7** 89 ◯ 90

5 72 ◯ 69　　　**8** 93 ◯ 94

☀ 세 수의 크기를 비교하여 큰 수부터 차례로 쓰시오. [9~11]

9
14　　19　　12
(　　　　　　　　　)

10
48　　52　　41
(　　　　　　　　　)

11
67　　72　　79
(　　　　　　　　　)

3 길이 어림하기 – cm

✹ 알맞은 말에 ○표 하고, □ 안에 알맞은 수를 써넣으시오. [1~3]

1

클립의 길이는 2 cm 조금 (못 , (더)) 됩니다.

클립의 길이는 약 2 cm입니다.

> 어림한 길이를 말할 땐 약 ■ cm라고 해.

2

연필의 길이는 6 cm 조금 (못 , 더) 됩니다.

연필의 길이는 약 □ cm입니다.

3

실핀의 길이는 4 cm 조금 (못 , 더) 됩니다.

실핀의 길이는 약 □ cm입니다.

✹ 선의 길이를 어림하고 자로 재어 보시오.
[4~6]

4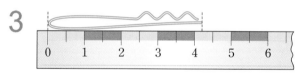

어림한 길이: 약 (   )

자로 잰 길이: (   )

5

어림한 길이: 약 (   )

자로 잰 길이: (   )

6

어림한 길이: 약 (   )

자로 잰 길이: (   )

4 약 몇 m로 어림하기

✹ 물건의 길이는 약 몇 m인지 구하려고 합니다. □ 안에 알맞은 수를 써넣으시오.

1

1 m

> 1 m가 몇 번 정도 되는지 세어 봐.

창문의 가로 길이는 약 4 m입니다.

1 m가 4번 정도이므로 창문의 가로 길이는 약 4 m입니다.

2

가로등의 높이는

약 □ m입니다.

1 m

3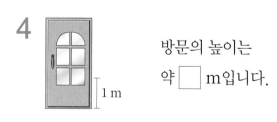

1 m

현수막의 세로 길이는 약 □ m입니다.

4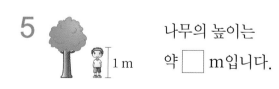

1 m

방문의 높이는

약 □ m입니다.

5

1 m

나무의 높이는

약 □ m입니다.

1 이상인 수 알아보기

❋ 왼쪽에 주어진 수 이상인 수에 모두 ◯표 하시오. [1~6]

❋ 주어진 수의 범위를 수직선 위에 나타내어 보시오. [7~12]

1 [6]　　3　4　5　⑥　⑦　⑧

6과 같거나 큰 수를 6 이상인 수라고 해.
6 이상인 수는 6을 포함하지.

7 33 이상인 수

기준이 되는 수를 포함합니다.

30　31　32　33　34　35　36　37

이상인 수는 기준이 되는 수를 포함하니까
●를 사용하여 나타내고 오른쪽으로 선을 그어.

2 [10]　　7　8　9　10　11　12

8 72 이상인 수

67　68　69　70　71　72　73　74

3 [16]　　14　15　16　17　18　19

9 80.4 이상인 수

80.2　80.3　80.4　80.5　80.6　80.7　80.8

4 [24]　　18　25.4　20　31.1　21.5　24

10 54 이상인 수

53　54　55　56　57　58　59　60

5 [32]　　32　　15.4　　31　　34.6
　　　　　　17　　32.1　　20.2　　36

11 9.5 이상인 수

9.48　9.49　9.50　9.51　9.52　9.53　9.54

6 [40]　　51.2　　39　　28　　37.6
　　　　　　40　　19.8　　40.4　　45

12 63.9 이상인 수

63.6　63.7　63.8　63.9　64.0　64.1　64.2

☀ 왼쪽에 주어진 수 이하인 수에 모두 ○표 하시오. [1~6]

☀ 주어진 수의 범위를 수직선 위에 나타내어 보시오. [7~12]

1 6   ③ ④ ⑤ ⑥ 7 8

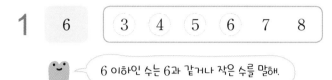
6 이하인 수는 6과 같거나 작은 수를 말해.

7 17 이하인 수

15 16 17 18 19 20 21 22

이하인 수는 ●를 사용해서 나타내고 왼쪽으로 선을 그어.

2 11   8 9 10 11 12 13

8 54 이하인 수

49 50 51 52 53 54 55 56

3 24   22 23 24 25 26 27

9 66.8 이하인 수

66.5 66.6 66.7 66.8 66.9 67.0 67.1

4 15   14 18.7 15 16.8 21 10.1

10 32 이하인 수

27 28 29 30 31 32 33 34

5 43   29.2   40   43.7   65
          48   43   52.6   41

11 40.1 이하인 수

39.8 39.9 40.0 40.1 40.2 40.3 40.4

6 37   39.5   37   31   49.3
          37.9 38.4 35 17.2

12 29.5 이하인 수

29.0 29.1 29.2 29.3 29.4 29.5 29.6

1
수의 범위와 어림하기

공부한 날   월   일

✹ 왼쪽에 주어진 수 초과인 수에 모두 ◯표 하시오. [1~6]

✹ 주어진 수의 범위를 수직선 위에 나타내어 보시오. [7~12]

1 4 | 2 3 4 ⑤ ⑥ ⑦

 4 초과인 수는 4보다 큰 수를 말해.
4 초과인 수에는 4가 포함되지 않아.

7 21 초과인 수

19 20 21 22 23 24 25 26 27

 초과인 수는 ◯로 나타내고 오른쪽으로 선을 그어.

2 8 | 6 7 8 9 10 11

8 75 초과인 수

71 72 73 74 75 76 77 78

3 15 | 12 13 14 15 16 17

9 30.4 초과인 수

30.3 30.4 30.5 30.6 30.7 30.8 30.9

4 26 | 26 30.2 19.3 28 24.4

10 99 초과인 수

98 99 100 101 102 103 104

5 39 | 38.4 39 41.2 16
50 37.9 25.6 39.1

11 13.7 초과인 수

13.2 13.3 13.4 13.5 13.6 13.7 13.8

6 52 | 51.8 52.7 55 31.8
52.2 50.9 52 61

12 66.1 초과인 수

65.8 65.9 66.0 66.1 66.2 66.3 66.4

☀ 왼쪽에 주어진 수 미만인 수에 모두 ◯표 하시오. [1~6]

☀ 주어진 수의 범위를 수직선 위에 나타내어 보시오. [7~12]

1 | 4 | ① ② ③ 4 5 6

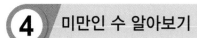 4 미만인 수는 4보다 작은 수를 말하니까 4는 포함되지 않아.

7 9 미만인 수

┼──┼──┼──┼──┼──┼──┼──
7   8   9   10 11 12 13 14

미만인 수는 ◯를 사용해서 나타내고 왼쪽으로 선을 그어.

2 | 14 | 11 12 13 14 15 16

8 52 미만인 수

┼──┼──┼──┼──┼──┼──┼──
46 47 48 49 50 51 52 53

3 | 27 | 25 26 27 28 29 30

9 17.2 미만인 수

┼──┼──┼──┼──┼──┼──┼──
16.9 17.0 17.1 17.2 17.3 17.4 17.5

4 | 48 | 44 37.2 48 50 24 49.1

10 84 미만인 수

┼──┼──┼──┼──┼──┼──┼──
79 80 81 82 83 84 85 86

5 | 31 | 31 28.5 31.3 19.2 41 23 30.9 35.8

11 10.6 미만인 수

┼──┼──┼──┼──┼──┼──┼──
10.4 10.5 10.6 10.7 10.8 10.9 11.0

6 | 60 | 61.5 57.4 42 60.1 73 39.6 60 59.8

12 41.7 미만인 수

┼──┼──┼──┼──┼──┼──┼──
41.5 41.6 41.7 41.8 41.9 42.0 42.1

1 수의 범위와 어림하기

✹ 수의 범위에 알맞은 수를 모두 찾아 ◯표 하시오. [1~6]

✹ 주어진 수의 범위를 수직선 위에 나타내어 보시오. [7~12]

1 9 이상 12 이하인 수

| 8 | ⑨ | ⑩ | ⑪ | ⑫ | 13 |

┌─ 12와 같거나 작음
9 이상 12 이하인 수
└─ 9와 같거나 큼

 ■ 이상 ▲ 이하인 수는 ■와 ▲를 포함해.

7 7 이상 10 이하인 수

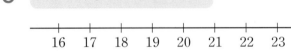

■ 이상 ▲ 이하인 수는 ■와 ▲를 ●로 나타낸 후 두 점 사이를 선으로 이어 봐.

2 15 이상 22 이하인 수

| 15 | 7.5 | 23 | 30.9 | 21.3 | 18 |

8 13 이상 18 이하인 수

3 21 이상 25 이하인 수

| 20.8 | 25 | 31 | 22.6 | 19 | 23 |

9 17 이상 22 이하인 수

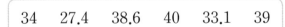

4 32 이상 34 이하인 수

| 30 | 31 | 32 | 33 | 34 | 35 |

10 21 이상 25 이하인 수

5 34 이상 39 이하인 수

| 34 | 27.4 | 38.6 | 40 | 33.1 | 39 |

11 24 이상 29 이하인 수

6 19 이상 31 이하인 수

| 10 | 9.7 | 19.8 | 31.4 | 29 | 21 |

12 34 이상 37 이하인 수

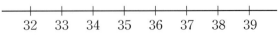

☀ 수의 범위에 알맞은 수를 모두 찾아 ○표 하시오. [1~6]

1 14 이상 16 미만인 수

| 12 | 13 | ⑭ | ⑮ | 16 | 17 |

2 22 이상 28 미만인 수

| 22 | 30.1 | 28 | 25 | 29.3 | 27 |

3 35 이상 40 미만인 수

| 35 | 31.3 | 29 | 39.8 | 40 | 38 |

4 27 이상 31 미만인 수

| 26 | 27 | 28 | 29 | 30 | 31 |

5 42 이상 44 미만인 수

| 44.9 | 42 | 40 | 43.9 | 44 | 41 |

6 57 이상 63 미만인 수

| 60.9 | 58 | 63 | 65.7 | 70 | 59.2 |

☀ 주어진 수의 범위를 수직선 위에 나타내어 보시오. [7~12]

7 6 이상 10 미만인 수

8 9 이상 13 미만인 수

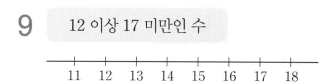

9 12 이상 17 미만인 수

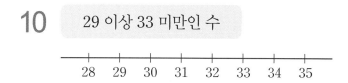

10 29 이상 33 미만인 수

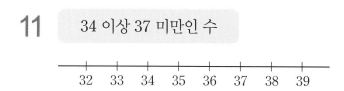

11 34 이상 37 미만인 수

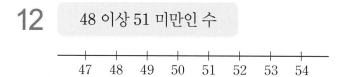

12 48 이상 51 미만인 수

1. 수의 범위와 어림하기　**13**

1 수의 범위와 어림하기

7 초과와 이하인 수 알아보기

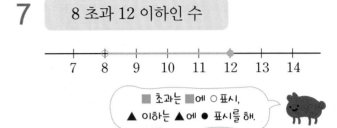

공부한 날   월   일

✹ 수의 범위에 알맞은 수를 모두 찾아 ◯표 하시오. [1~6]

✹ 주어진 수의 범위를 수직선 위에 나타내어 보시오. [7~12]

1 19 초과 22 이하인 수

| 18 | 19 | ⑳ | ㉑ | ㉒ | 23 |

┌ 22와 같거나 작음
19 초과 22 이하인 수
└ 19보다 큼

■ 초과 ▲ 이하인 수에
■는 포함되지 않고 ▲는 포함돼.

2 8 초과 12 이하인 수

| 8 | 9 | 10 | 11 | 12 | 13 |

7 8 초과 12 이하인 수

■ 초과는 ■에 ◯ 표시,
▲ 이하는 ▲에 ● 표시를 해.

8 15 초과 19 이하인 수

3 33 초과 38 이하인 수

| 33 | 27.4 | 34 | 38 | 39 | 36.5 |

9 24 초과 27 이하인 수

4 54 초과 60 이하인 수

| 55 | 48.9 | 60 | 63.7 | 58.2 | 70 |

10 48 초과 51 이하인 수

5 71 초과 73 이하인 수

| 70 | 72.4 | 73 | 71.5 | 78 | 60 |

11 56 초과 62 이하인 수

6 81 초과 86 이하인 수

| 82.6 | 85 | 79.3 | 86 | 90.7 | 88 |

12 65 초과 70 이하인 수

공부한 날   월   일

❋ 수의 범위에 알맞은 수를 모두 찾아 ◯표 하시오. [1~6]

❋ 주어진 수의 범위를 수직선 위에 나타내어 보시오. [7~12]

1 13 초과 17 미만인 수

13 초과 17 미만인 수 — 17보다 작음, 13보다 큼

■ 초과 ★ 미만인 수에 ■와 ★은 포함되지 않아.

2 3 초과 6 미만인 수

| 1 | 2 | 3 | 4 | 5 | 6 |

3 21 초과 25 미만인 수

| 21 | 24.7 | 30.4 | 23 | 20 | 22.1 |

4 30 초과 36 미만인 수

| 34 | 31.3 | 36.2 | 35 | 36 | 49.8 |

5 48 초과 52 미만인 수

| 48 | 50.8 | 52.9 | 51.1 | 49 |

6 62 초과 67 미만인 수

| 62 | 65 | 64.5 | 74 | 63 | 69.2 |

7 9 초과 12 미만인 수

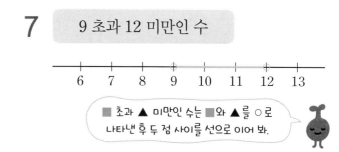

■ 초과 ▲ 미만인 수는 ■와 ▲를 ◯로 나타낸 후 두 점 사이를 선으로 이어 봐.

8 12 초과 15 미만인 수

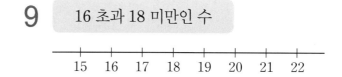

9 16 초과 18 미만인 수

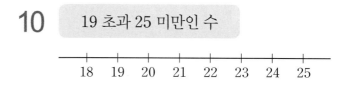

10 19 초과 25 미만인 수

11 23 초과 28 미만인 수

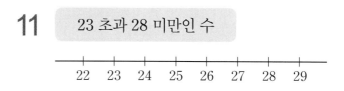

12 36 초과 42 미만인 수

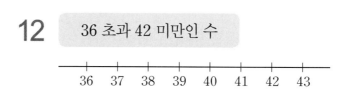

1 수의 범위와 어림하기

1. 수의 범위와 어림하기 **15**

☀ 수의 범위를 수직선에 나타내고 범위에 포함되는 자연수를 모두 써 보시오.

1 23 초과 28 이하인 수

```
22  23  24  25  26  27  28  29
```

(24, 25, 26, 27, 28)

기준이 되는 수가 포함이 되는지 아닌지 확인해.
이상과 이하는 포함되고 초과와 미만은 포함되지 않아.

2 58 이상 60 이하인 수

```
55  56  57  58  59  60  61  62
```

(   )

3 9 이상 15 미만인 수

```
8   9  10  11  12  13  14  15
```

(   )

4 70 초과 73 미만인 수

```
67  68  69  70  71  72  73  74
```

(   )

5 13 이상 15 이하인 수

```
12  13  14  15  16  17  18  19
```

(   )

6 31 초과 36 이하인 수

```
31  32  33  34  35  36  37  38
```

(   )

7 46 초과 49 이하인 수

```
43  44  45  46  47  48  49  50
```

(   )

8 28 초과 33 미만인 수

```
27  28  29  30  31  32  33  34  35
```

(   )

9 15 이상 18 미만인 수

```
11  12  13  14  15  16  17  18
```

(   )

10 39 초과 43 미만인 수

```
38  39  40  41  42  43  44  45
```

(   )

11 47 이상 51 이하인 수

```
46  47  48  49  50  51  52  53
```

(   )

12 66 초과 69 미만인 수

```
64  65  66  67  68  69  70  71
```

(   )

☀ **범위에 포함되는 자연수를 모두 써 보시오.**

기준이 되는 수가 포함됩니다.

1 3 이상 5 이하인 수

(3, 4, 5   )

기준이 되는 수가 포함이 되는지 확인하여 적고
그 사이에 있는 자연수를 모두 쓰면 돼.

2 10 이상 13 미만인 수

(   )

3 28 초과 30 이하인 수

(   )

4 18 초과 23 미만인 수

(   )

5 60 이상 65 미만인 수

(   )

6 22 이상 24 이하인 수

(   )

7 35 초과 38 이하인 수

(   )

8 41 이상 43 미만인 수

(   )

9 58 초과 63 미만인 수

(   )

10 32 이상 35 미만인 수

(   )

11 27 초과 31 이하인 수

(   )

12 78 초과 80 이하인 수

(   )

13 97 초과 101 미만인 수

(   )

14 73 이상 76 이하인 수

(   )

1 수의 범위와 어림하기

☀ 수직선을 보고 '이상', '이하', '초과', '미만'을 사용하여 수의 범위를 바르게 써 보시오.

1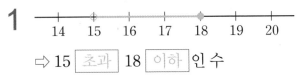

⇨ 15 초과 18 이하 인 수

○와 ●로 표시된 수를 확인해.
○는 초과나 미만, ●는 이상이나 이하를 나타내.

2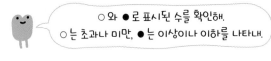

⇨ 61 ☐ 63 ☐ 인 수

3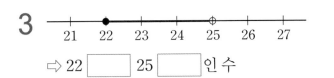

⇨ 22 ☐ 25 ☐ 인 수

4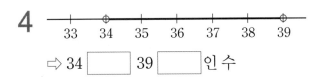

⇨ 34 ☐ 39 ☐ 인 수

5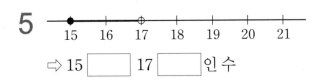

⇨ 15 ☐ 17 ☐ 인 수

6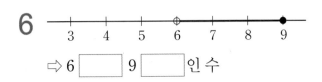

⇨ 6 ☐ 9 ☐ 인 수

7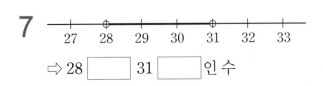

⇨ 28 ☐ 31 ☐ 인 수

8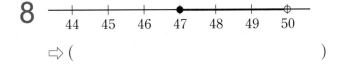

⇨ (   )

9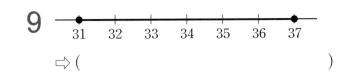

⇨ (   )

10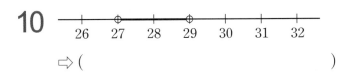

⇨ (   )

11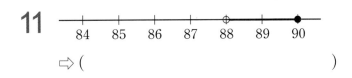

⇨ (   )

12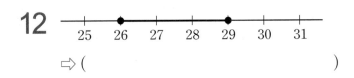

⇨ (   )

13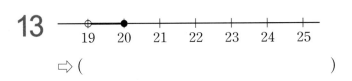

⇨ (   )

14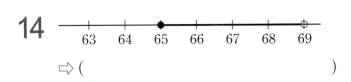

⇨ (   )

☀ 태권도부 학생들의 몸무게와 몸무게에 따른 체급을 나타낸 표입니다. 각 학생들이 어느 체급에 속하는지 써 보시오. [1~6]

태권도부 학생들의 몸무게

이름	승현	아영	은샘	석훈	재윤	현수
몸무게(kg)	38	33.5	36	34.2	40.1	32

몸무게별 체급(초등학생용)

몸무게 범위(kg)	체급
32 이하	핀급
32 초과 34 이하	플라이급
34 초과 36 이하	밴텀급
36 초과 39 이하	페더급
39 초과	라이트급

학생의 몸무게를 보고 어디에 속하는지 확인해.
승현이는 38 kg이니까 36 초과 39 이하에 속하네.

1 승현 ⇨ (페더급)

2 아영 ⇨ (   )

3 은샘 ⇨ (   )

4 석훈 ⇨ (   )

5 재윤 ⇨ (   )

6 현수 ⇨ (   )

☀ 택배의 무게와 무게별 택배 요금을 나타낸 표입니다. 각 택배의 요금은 얼마인지 써 보시오. [7~12]

택배의 무게

택배	옷	사과	책	신발	생선	가구
무게(kg)	0.8	12	5.6	1.4	5	23

무게별 택배 요금

무게의 범위(kg)	요금(원)
2 이하	5000
2 초과 5 이하	6000
5 초과 10 이하	7500
10 초과 20 이하	9500
20 초과 30 이하	12000

7 옷 ⇨ (   )

8 사과 ⇨ (   )

9 책 ⇨ (   )

10 신발 ⇨ (   )

11 생선 ⇨ (   )

12 가구 ⇨ (   )

☀ **수를 올림하여 주어진 자리까지 나타내어 보시오. [1~10]**

1 187(십의 자리) ⇨ (190)

구하려는 자리 아래 수를 올립니다. 187 ⇨ 190

올림하여 십의 자리까지 나타내려면 십의 자리 아래 수를 올리면 돼.

2 102(십의 자리) ⇨ ( )

3 483(백의 자리) ⇨ ( )

4 8055(천의 자리) ⇨ ( )

5 791(십의 자리) ⇨ ( )

6 436(십의 자리) ⇨ ( )

7 1520(십의 자리) ⇨ ( )

8 872(백의 자리) ⇨ ( )

9 5928(백의 자리) ⇨ ( )

10 3410(천의 자리) ⇨ ( )

☀ **소수를 올림하여 보시오. [11~16]**

11 1.372를 올림하여 소수 첫째 자리까지 나타내면 얼마입니까?

(1.4)

올림하여 소수 첫째 자리까지 나타내려면 소수 둘째 자리와 소수 셋째 자리 수를 올리면 돼.

12 10.34를 올림하여 소수 첫째 자리까지 나타내면 얼마입니까?

( )

13 8.948을 올림하여 소수 둘째 자리까지 나타내면 얼마입니까?

( )

14 0.781을 올림하여 소수 둘째 자리까지 나타내면 얼마입니까?

( )

15 4.845를 올림하여 소수 둘째 자리까지 나타내면 얼마입니까?

( )

16 6.719를 올림하여 소수 첫째 자리까지 나타내면 얼마입니까?

( )

☀ 주어진 문장을 읽고 어떤 수가 될 수 있는 수의 범위를 초과와 이하를 사용하여 나타내려고 합니다. □ 안에 알맞은 수를 써넣으시오.

1 어떤 수를 올림하여 백의 자리까지 나타내었더니 800이었습니다.

⇨ ⌷700⌷ 초과 ⌷800⌷ 이하

올림
700 ⟶ 700
701 ⟶ 800
⋮
799 ⟶ 800
800 ⟶ 800
801 ⟶ 900

백의 자리 아래 수에 숫자가 있으면 항상 올리므로 700보다 크고 800과 같거나 작아야 해.

2 어떤 수를 올림하여 십의 자리까지 나타내었더니 170이었습니다.

⇨ □ 초과 □ 이하

3 어떤 수를 올림하여 백의 자리까지 나타내었더니 2400이었습니다.

⇨ □ 초과 □ 이하

4 어떤 수를 올림하여 천의 자리까지 나타내었더니 5000이었습니다.

⇨ □ 초과 □ 이하

5 어떤 수를 올림하여 십의 자리까지 나타내었더니 1450이었습니다.

⇨ □ 초과 □ 이하

6 어떤 수를 올림하여 십의 자리까지 나타내었더니 1400이었습니다.

⇨ □ 초과 □ 이하

7 어떤 수를 올림하여 천의 자리까지 나타내었더니 6000이었습니다.

⇨ □ 초과 □ 이하

8 어떤 수를 올림하여 십의 자리까지 나타내었더니 390이었습니다.

⇨ □ 초과 □ 이하

9 어떤 수를 올림하여 백의 자리까지 나타내었더니 2000이었습니다.

⇨ □ 초과 □ 이하

10 어떤 수를 올림하여 십의 자리까지 나타내었더니 80이었습니다.

⇨ □ 초과 □ 이하

11 어떤 수를 올림하여 백의 자리까지 나타내었더니 3800이었습니다.

⇨ □ 초과 □ 이하

12 어떤 수를 올림하여 천의 자리까지 나타내었더니 2000이었습니다.

⇨ □ 초과 □ 이하

공부한 날   월   일

☀ **수를 버림하여 주어진 자리까지 나타내어 보시오. [1~10]**

1 307(십의 자리) ⇨ (300   )

구하려는 자리 아래 수를 버립니다. 307 ⇨ 300

> 버림하여 십의 자리까지 나타내려면 십의 자리 아래 수를 버리면 돼.

6 1448(십의 자리) ⇨ (   )

2 1625(십의 자리) ⇨ (   )

7 241(백의 자리) ⇨ (   )

3 409(백의 자리) ⇨ (   )

8 779(십의 자리) ⇨ (   )

4 7157(백의 자리) ⇨ (   )

9 3491(천의 자리) ⇨ (   )

5 2040(천의 자리) ⇨ (   )

10 5999(천의 자리) ⇨ (   )

☀ **소수를 버림하여 보시오. [11~16]**

11 4.28을 버림하여 소수 첫째 자리까지 나타내면 얼마입니까?

(4.2   )

> 버림하여 소수 첫째 자리까지 나타내려면 소수 둘째 자리 수를 버리면 돼.

14 5.243을 버림하여 소수 첫째 자리까지 나타내면 얼마입니까?

(   )

12 1.472를 버림하여 소수 둘째 자리까지 나타내면 얼마입니까?

(   )

15 7.484를 버림하여 소수 둘째 자리까지 나타내면 얼마입니까?

(   )

13 10.549를 버림하여 소수 첫째 자리까지 나타내면 얼마입니까?

(   )

16 0.815를 버림하여 소수 둘째 자리까지 나타내면 얼마입니까?

(   )

16 버림 알아보기(2)

☀ 주어진 문장을 읽고 어떤 수가 될 수 있는 수의 범위를 이상과 미만을 사용하여 나타내려고 합니다. □ 안에 알맞은 수를 써넣으시오.

1 어떤 수를 버림하여 십의 자리까지 나타내었더니 240이었습니다.

⇨ [240] 이상 [250] 미만

버림
240 —→ 240
241 —→ 240
   ⋮
249 —→ 240
250 —→ 250

십의 자리 아래 수는 항상 버리므로 240과 같거나 크고 250보다는 작아야 해.

2 어떤 수를 버림하여 백의 자리까지 나타내었더니 1500이었습니다.

⇨ [   ] 이상 [   ] 미만

3 어떤 수를 버림하여 십의 자리까지 나타내었더니 1120이었습니다.

⇨ [   ] 이상 [   ] 미만

4 어떤 수를 버림하여 천의 자리까지 나타내었더니 4000이었습니다.

⇨ [   ] 이상 [   ] 미만

5 어떤 수를 버림하여 백의 자리까지 나타내었더니 2000이었습니다.

⇨ [   ] 이상 [   ] 미만

6 어떤 수를 버림하여 십의 자리까지 나타내었더니 750이었습니다.

⇨ [   ] 이상 [   ] 미만

7 어떤 수를 버림하여 천의 자리까지 나타내었더니 6000이었습니다.

⇨ [   ] 이상 [   ] 미만

8 어떤 수를 버림하여 십의 자리까지 나타내었더니 3400이었습니다.

⇨ [   ] 이상 [   ] 미만

9 어떤 수를 버림하여 백의 자리까지 나타내었더니 3400이었습니다.

⇨ [   ] 이상 [   ] 미만

10 어떤 수를 버림하여 백의 자리까지 나타내었더니 500이었습니다.

⇨ [   ] 이상 [   ] 미만

11 어떤 수를 버림하여 십의 자리까지 나타내었더니 20이었습니다.

⇨ [   ] 이상 [   ] 미만

12 어떤 수를 버림하여 천의 자리까지 나타내었더니 13000이었습니다.

⇨ [   ] 이상 [   ] 미만

❋ **수를 반올림하여 주어진 자리까지 나타내어 보시오. [1~10]**

1 806(십의 자리) ⇨ (　　　810　　　)
⤴ 6이므로 올립니다.

> 반올림은 구하려는 자리 바로 아래 자리의 숫자가
> 0, 1, 2, 3, 4이면 버리고, 5, 6, 7, 8, 9이면 올리는 방법이야.

6 48206(천의 자리) ⇨ (　　　　　)

2 1273(십의 자리) ⇨ (　　　　　)

7 65177(만의 자리) ⇨ (　　　　　)

3 644(백의 자리) ⇨ (　　　　　)

8 3984(백의 자리) ⇨ (　　　　　)

4 3900(백의 자리) ⇨ (　　　　　)

9 948(십의 자리) ⇨ (　　　　　)

5 8725(천의 자리) ⇨ (　　　　　)

10 17199(천의 자리) ⇨ (　　　　　)

❋ **소수를 반올림하여 보시오. [11~16]**

11 5.482를 반올림하여 소수 첫째 자리까지 나타내면 얼마입니까?
⤴올림
(　　　5.5　　　)

> 소수 둘째 자리 숫자를 보고
> 버릴지 올릴지 생각해.

14 4.215를 반올림하여 소수 둘째 자리까지 나타내면 얼마입니까?
(　　　　　)

12 1.294를 반올림하여 소수 둘째 자리까지 나타내면 얼마입니까?
(　　　　　)

15 2.763을 반올림하여 소수 둘째 자리까지 나타내면 얼마입니까?
(　　　　　)

13 10.728을 반올림하여 소수 첫째 자리까지 나타내면 얼마입니까?
(　　　　　)

16 15.375를 반올림하여 소수 첫째 자리까지 나타내면 얼마입니까?
(　　　　　)

☀ 주어진 문장을 읽고 어떤 수가 될 수 있는 수의 범위를 이상과 미만을 사용하여 나타내려고 합니다. □ 안에 알맞은 수를 써넣으시오.

1 어떤 수를 반올림하여 십의 자리까지 나타내었더니 40이었습니다.

반올림

$34 \longrightarrow 30$
$35 \longrightarrow 40$
$\vdots$
$44 \longrightarrow 40$
$45 \longrightarrow 50$

⇨ 35 이상 45 미만

십의 자리가 3일 때 일의 자리는 5 이상이어야 하고, 십의 자리가 4일 때 일의 자리는 5 미만이어야 해.

2 어떤 수를 반올림하여 백의 자리까지 나타내었더니 1100이었습니다.

⇨ ☐ 이상 ☐ 미만

3 어떤 수를 반올림하여 십의 자리까지 나타내었더니 340이었습니다.

⇨ ☐ 이상 ☐ 미만

4 어떤 수를 반올림하여 천의 자리까지 나타내었더니 5000이었습니다.

⇨ ☐ 이상 ☐ 미만

5 어떤 수를 반올림하여 백의 자리까지 나타내었더니 2000이었습니다.

⇨ ☐ 이상 ☐ 미만

6 어떤 수를 반올림하여 백의 자리까지 나타내었더니 800이었습니다.

⇨ ☐ 이상 ☐ 미만

7 어떤 수를 반올림하여 천의 자리까지 나타내었더니 3000이었습니다.

⇨ ☐ 이상 ☐ 미만

8 어떤 수를 반올림하여 백의 자리까지 나타내었더니 48200이었습니다.

⇨ ☐ 이상 ☐ 미만

9 어떤 수를 반올림하여 십의 자리까지 나타내었더니 3200이었습니다.

⇨ ☐ 이상 ☐ 미만

10 어떤 수를 반올림하여 십의 자리까지 나타내었더니 320이었습니다.

⇨ ☐ 이상 ☐ 미만

11 어떤 수를 반올림하여 천의 자리까지 나타내었더니 20000이었습니다.

⇨ ☐ 이상 ☐ 미만

12 어떤 수를 반올림하여 백의 자리까지 나타내었더니 5400이었습니다.

⇨ ☐ 이상 ☐ 미만

☀ 수를 올림, 버림, 반올림하여 주어진 자리까지 나타내어 보시오.

1 215(십의 자리)

올림	220
버림	210
반올림	220

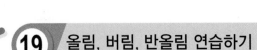
어느 자리까지 어림하는지,
올림인지, 버림인지, 반올림인지
확인한 후 답을 구해.

올림: 215 ⇨ 220
버림: 215 ⇨ 210
반올림: 215 ⇨ 220

10 47280(만의 자리)

올림	
버림	
반올림	

2 7601(백의 자리)

올림	
버림	
반올림	

6 4923(천의 자리)

올림	
버림	
반올림	

11 57.6(일의 자리)

올림	
버림	
반올림	

3 86000(천의 자리)

올림	
버림	
반올림	

7 24057(백의 자리)

올림	
버림	
반올림	

12 4.53(소수 첫째 자리)

올림	
버림	
반올림	

4 347(십의 자리)

올림	
버림	
반올림	

8 34057(만의 자리)

올림	
버림	
반올림	

13 1.829(소수 둘째 자리)

올림	
버림	
반올림	

5 638(백의 자리)

올림	
버림	
반올림	

9 1928(천의 자리)

올림	
버림	
반올림	

14 7.174(소수 첫째 자리)

올림	
버림	
반올림	

☀ **주어진 문장을 읽고 답을 구하시오.**

1 저금통에 있던 돈 34850원을 모두 1000원 짜리 지폐로 바꾸려고 합니다. <u>최대</u> 얼마까 지 바꿀 수 있습니까?

(34000원   )

1000원보다 적은 850원은 1000원짜리 지폐로 바꿀 수 없으므로 버림을 사용하여 문제를 해결합니다.
34850 ⇨ 34000
   ↳000

2 학생 285명이 모두 보트를 타려고 합니다. 보트 한 대에 10명씩 탈 수 있다면 보트는 최소 몇 대 필요합니까?

(   )

3 무게가 58.7 kg인 물건을 1 kg 눈금의 저울 로 재었을 때 가까운 쪽의 눈금을 읽으면 약 몇 kg입니까?

(   )

4 인형 4584개를 한 상자에 100개씩 담아서 팔려고 합니다. 팔 수 있는 인형은 최대 몇 상자입니까?

(   )

5 연희는 1500원짜리 과자 하나와 2700원짜 리 음료를 샀습니다. 1000원짜리 지폐로만 물건 값을 낸다면 최소 얼마를 내야 합니까?

(   )

6 선물 1개를 포장하는 데 리본이 1 m 필요 합니다. 리본 870 cm로는 선물을 최대 몇 개까지 포장할 수 있습니까?

(   )

7 사탕 735개를 모두 상자에 담으려고 합니 다. 한 상자에 사탕을 100개씩 담을 수 있 다면 상자는 최소 몇 상자 필요합니까?

(   )

8 배추 24850포기를 트럭에 모두 실으려고 합니다. 트럭 한 대에 1000포기씩 실을 수 있다면 트럭은 최소 몇 대 필요합니까?

(   )

9 길이가 48.2 m인 물건을 1 m 눈금의 자로 재었을 때 가까운 쪽의 눈금을 읽으면 약 몇 m입니까?

(   )

10 학생 1350명에게 공책을 한 권씩 주려고 합니다. 한 묶음에 100권인 공책을 산다면 공책은 최소 몇 묶음 사야 합니까?

(   )

1 수의 범위와 어림하기

1 29 이상인 수에 ○표, 28 이하인 수에 △표 하시오.

| 25 | 26 | 27 | 28 | 29 | 30 | 31 |

2 16 초과인 수는 모두 몇 개입니까?

| 15.7 | 16 | 20.1 | 28 | 10 | 19.3 | 14 |

(   )

■ 초과인 수에
■는 포함되지
않아.

3 수의 범위를 수직선에 나타내어 보시오.

7 이상 11 미만인 수

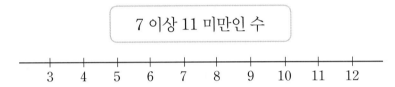

3 4 5 6 7 8 9 10 11 12

· 수직선에 나타낼 때
  이상과 이하는 ●로,
  초과와 미만은 ○로 나타냅니다.

✹ 점수에 따른 등급과 연아네 모둠 학생들의 점수를 나타낸 표입니다. 물음에 답하시오. [4~5]

점수별 등급

점수(점)	등급
90 이상	탁월
80 이상 90 미만	우수
70 이상 80 미만	양호
60 이상 70 미만	보통
60 미만	미흡

연아네 모둠 학생들의 점수

이름	연아	성수	진혁	아름
점수	80	75	98	60
등급				

4 학생들의 점수를 보고 등급을 구하여 위 표를 완성해 보시오.

· 점수별 경계에 속하는 점수에 주의합니다.

5 주현이의 점수는 70점입니다. 연아네 모둠 학생 중에서 주현이와 같은 등급인 학생은 누구입니까?

(   )

주현이의 등급은
무엇인지 먼저
구해 봐.

6 수를 올림하여 백의 자리까지 나타내어 보시오.

(1) 499 ⇨ (   )

(2) 5008 ⇨ (   )

1

수의 범위와 어림하기

• 올림은 구하려는 자리 아래
수를 올려서 나타냅니다.

7 버림하여 천의 자리까지 나타낸 수가 <u>다른</u> 하나를 찾아 쓰시오.

| 6352 | 6000 | 7012 | 6974 |

(   )

• 버림은 구하려는 자리 아래
수를 버려서 나타냅니다.

8 30624를 올림, 버림, 반올림하여 만의 자리까지 나타내어 보시오.

올림	버림	반올림

• 구하려는 자리 바로 아래 자리
의 숫자가 0, 1, 2, 3, 4이면
반올림한 결과와 버림한 결과
가 같고, 5, 6, 7, 8, 9이면 반
올림한 결과와 올림한 결과가
같습니다.

9 관광객 86명을 보트에 모두 태우고 섬을 한 바퀴 둘러 보려고 합니다.
보트 한 대에 10명씩 탈 수 있다면 보트는 적어도 몇 대 필요합니까?

(   )

10 과수원에서 수확한 자두 2975개를 한 상자에 100개씩 넣어 포장하여
판매하려고 합니다. 판매할 수 있는 자두는 몇 개입니까?

(   )

• 100개보다 적은 수의 자두는
포장하여 판매할 수 없다는
점을 생각하여 문제를 해결합
니다.

QR 코드를 찍어 보세요.

문제 생성기 새로운 문제를 계속 풀 수 있어요.

2 분수의 곱셈

제2화 아무거나 먹는 로봇 비빅!

$$\frac{3}{5} \times 4 = \frac{3 \times 4}{5} = \frac{12}{5} = 2\frac{2}{5}(\text{통})$$

이미 배운 내용	이번에 배울 내용	앞으로 배울 내용
[5-1 분수의 덧셈과 뺄셈] • 분수의 덧셈 • 분수의 뺄셈	• (분수)×(자연수) 알아보기 • (자연수)×(분수) 알아보기 • (진분수)×(진분수) 알아보기 • (분수)×(분수) 알아보기	[6-1 분수의 나눗셈] • (자연수)÷(자연수) 알아보기 • (분수)÷(자연수) 알아보기 [6-2 분수의 나눗셈] • (분수)÷(분수) 알아보기 • (자연수)÷(분수) 알아보기

$$1\frac{3}{4} \times 3 = \frac{7}{4} \times 3$$
$$= \frac{21}{4} = 5\frac{1}{4}\ (\text{kg})$$

배운 것 확인하기

1 분수 알아보기

☀ □ 안에 알맞은 수를 써넣으시오. [1~3]

1

8을 2씩 묶으면 2는 8의 $\dfrac{1}{4}$ 입니다.

4묶음 중 1묶음 — $\dfrac{1}{4}$

8을 2씩 묶으면 6은 8의 $\dfrac{3}{4}$ 입니다.

4묶음 중 3묶음 — $\dfrac{3}{4}$

몇 묶음 중에 몇 묶음을 나타내는지 확인해.

2

15를 5씩 묶으면 5는 15의 $\dfrac{□}{□}$ 입니다.

15를 5씩 묶으면 10은 15의 $\dfrac{□}{□}$ 입니다.

3

12를 3씩 묶으면 3은 12의 $\dfrac{□}{□}$ 입니다.

12를 3씩 묶으면 9는 12의 $\dfrac{□}{□}$ 입니다.

☀ 색칠한 부분은 전체의 얼마인지 분수로 나타내어 보시오. [4~7]

4

( )

6

( )

5

( )

7

( )

2 대분수를 가분수로, 가분수를 대분수로

☀ 대분수를 가분수로, 가분수를 대분수로 나타내어 보시오. [1~15]

1 $1\dfrac{2}{3} = \dfrac{5}{3}$

$1\dfrac{2}{3} = 1 + \dfrac{2}{3} = \dfrac{3}{3} + \dfrac{2}{3} = \dfrac{5}{3}$

$1 = \dfrac{3}{3}$

대분수를 가분수로 나타낼 때에는 대분수의 자연수 부분을 분수로 나타내.

2 $\dfrac{13}{5}$

9 $4\dfrac{1}{2}$

3 $2\dfrac{3}{8}$

10 $\dfrac{16}{3}$

4 $\dfrac{25}{8}$

11 $\dfrac{17}{6}$

5 $6\dfrac{2}{3}$

12 $2\dfrac{13}{15}$

6 $\dfrac{27}{10}$

13 $9\dfrac{2}{9}$

7 $\dfrac{37}{7}$

14 $6\dfrac{4}{5}$

8 $3\dfrac{10}{11}$

15 $\dfrac{24}{5}$

✿ 분수를 약분하시오. [1~7]

1 $\dfrac{4}{10} = \dfrac{2}{\boxed{5}}$

4÷2=2이므로 10도 2로 나누어서 약분해.

2 $\dfrac{4}{8} = \dfrac{1}{\boxed{}}$

5 $\dfrac{9}{12} = \dfrac{\boxed{}}{4}$

3 $\dfrac{2}{16} = \dfrac{\boxed{}}{8}$

6 $\dfrac{10}{25} = \dfrac{2}{\boxed{}}$

4 $\dfrac{9}{81} = \dfrac{3}{\boxed{}}$

7 $\dfrac{8}{24} = \dfrac{\boxed{}}{6}$

✿ 분수를 약분하여 기약분수로 나타내어 보시오. [8~13]

8 $\dfrac{3}{6}$

11 $\dfrac{12}{36}$

9 $\dfrac{15}{18}$

12 $\dfrac{54}{72}$

10 $\dfrac{3}{27}$

13 $\dfrac{24}{64}$

✿ 분수의 덧셈을 계산해 보시오. [1~7]

1 $\dfrac{3}{7} + \dfrac{2}{7} = \dfrac{5}{7}$

$\dfrac{3}{7} + \dfrac{2}{7} = \dfrac{3+2}{7} = \dfrac{5}{7}$

분모가 같은 두 분수의 덧셈은 분모는 그대로 두고 분자끼리 더해서 구해.

2 $\dfrac{6}{12} + \dfrac{1}{12}$

5 $\dfrac{3}{8} + \dfrac{7}{8}$

3 $\dfrac{1}{5} + \dfrac{3}{5}$

6 $\dfrac{11}{12} + \dfrac{5}{12}$

4 $\dfrac{3}{10} + \dfrac{3}{10}$

7 $\dfrac{13}{24} + \dfrac{9}{24}$

✿ 세 수의 덧셈을 계산해 보시오. [8~11]

8 $\dfrac{1}{4} + \dfrac{1}{4} + \dfrac{1}{4}$

9 $\dfrac{2}{13} + \dfrac{2}{13} + \dfrac{2}{13}$

10 $\dfrac{5}{8} + \dfrac{5}{8} + \dfrac{5}{8}$

11 $\dfrac{2}{15} + \dfrac{2}{15} + \dfrac{2}{15}$

2

분수의 곱셈

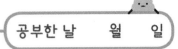
1 (단위분수)×(자연수)

☀ 그림을 보고 □ 안에 알맞은 수를 써넣으시오. [1~4]

1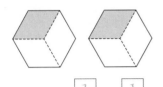

$\dfrac{1}{3} \times 2 = \dfrac{\boxed{1}}{3} + \dfrac{\boxed{1}}{3}$

$= \dfrac{1 \times \boxed{2}}{3} = \dfrac{\boxed{2}}{3}$

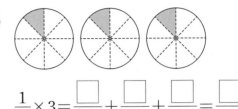
$\dfrac{1}{3} \times 2$는 $\dfrac{1}{3}$을 두 번 더한 거야.

3

$\dfrac{1}{8} \times 3 = \dfrac{\square}{8} + \dfrac{\square}{8} + \dfrac{\square}{8} = \dfrac{\square}{8}$

2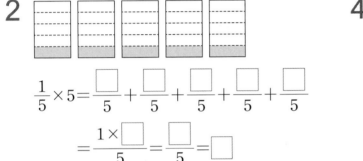

$\dfrac{1}{5} \times 5 = \dfrac{\square}{5} + \dfrac{\square}{5} + \dfrac{\square}{5} + \dfrac{\square}{5} + \dfrac{\square}{5}$

$= \dfrac{1 \times \square}{5} = \dfrac{\square}{5} = \square$

4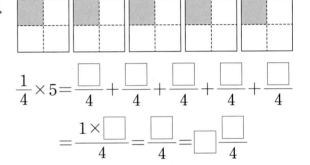

$\dfrac{1}{4} \times 5 = \dfrac{\square}{4} + \dfrac{\square}{4} + \dfrac{\square}{4} + \dfrac{\square}{4} + \dfrac{\square}{4}$

$= \dfrac{1 \times \square}{4} = \dfrac{\square}{4} = \square \dfrac{\square}{4}$

☀ 계산해 보시오. [5~19]

5 $\dfrac{1}{7} \times 5$

6 $\dfrac{1}{8} \times 7$

7 $\dfrac{1}{9} \times 2$

8 $\dfrac{1}{13} \times 7$

9 $\dfrac{1}{6} \times 5$

10 $\dfrac{1}{4} \times 3$

11 $\dfrac{1}{10} \times 3$

12 $\dfrac{1}{15} \times 8$

13 $\dfrac{1}{2} \times 7$

14 $\dfrac{1}{8} \times 10$

15 $\dfrac{1}{6} \times 13$

16 $\dfrac{1}{5} \times 20$

17 $\dfrac{1}{11} \times 20$

18 $\dfrac{1}{9} \times 17$

19 $\dfrac{1}{20} \times 13$

☀ 그림을 보고 ▢ 안에 알맞은 수를 써넣으시오. [1~4]

1

$$\frac{3}{8} \times 3 = \frac{\boxed{3}}{8} + \frac{\boxed{3}}{8} + \frac{\boxed{3}}{8}$$

$$= \frac{\boxed{3} \times 3}{8} = \frac{\boxed{9}}{8} = \boxed{1\frac{1}{8}}$$

 (진분수)×(자연수)는 분자에 자연수를 곱해.

3

$$\frac{3}{4} \times 3 = \frac{\boxed{}}{4} + \frac{\boxed{}}{4} + \frac{\boxed{}}{4}$$

$$= \frac{\boxed{} \times 3}{4} = \frac{\boxed{}}{4} = \boxed{}$$

2

$$\frac{7}{9} \times 4 = \frac{\boxed{}}{9} + \frac{\boxed{}}{9} + \frac{\boxed{}}{9} + \frac{\boxed{}}{9}$$

$$= \frac{\boxed{} \times \boxed{}}{9} = \frac{\boxed{}}{9} = \boxed{}$$

4
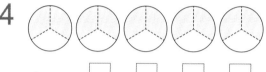

$$\frac{2}{3} \times 5 = \frac{\boxed{}}{3} + \frac{\boxed{}}{3} + \frac{\boxed{}}{3} + \frac{\boxed{}}{3} + \frac{\boxed{}}{3}$$

$$= \frac{\boxed{} \times 5}{3} = \frac{\boxed{}}{3} = \boxed{}$$

☀ 계산해 보시오. [5~19]

5 $\frac{5}{6} \times 4$

6 $\frac{7}{12} \times 9$

7 $\frac{5}{7} \times 5$

8 $\frac{9}{32} \times 8$

9 $\frac{13}{18} \times 15$

10 $\frac{9}{10} \times 15$

11 $\frac{3}{4} \times 6$

12 $\frac{7}{9} \times 3$

13 $\frac{5}{14} \times 7$

14 $\frac{7}{12} \times 16$

15 $\frac{7}{13} \times 3$

16 $\frac{4}{5} \times 20$

17 $\frac{8}{21} \times 14$

18 $\frac{6}{7} \times 3$

19 $\frac{9}{11} \times 3$

2

분수의 곱셈

3 (대분수)×(자연수)(1)–대분수를 가분수로 바꾸어 계산

공부한 날 월 일

✹ □ 안에 알맞은 수를 써넣으시오. [1~4]

1 $3\frac{2}{5}\times7=\frac{\boxed{17}}{5}\times\boxed{7}=\frac{\boxed{17}\times\boxed{7}}{5}$

$=\frac{\boxed{119}}{5}=\boxed{23\frac{4}{5}}$

대분수를 가분수로 바꾸어 (진분수)×(자연수)와 같은 방법으로 계산할 수 있어.

2 $2\frac{2}{7}\times4=\frac{\square}{7}\times4=\frac{\square\times4}{7}$

$=\frac{\square}{7}=\square$

3 $4\frac{2}{3}\times5=\frac{\square}{3}\times5=\frac{\square\times5}{3}$

$=\frac{\square}{3}=\square$

4 $3\frac{5}{6}\times5=\frac{\square}{6}\times5=\frac{\square\times5}{6}$

$=\frac{\square}{6}=\square$

✹ 보기 와 같은 방법으로 계산해 보시오. [5~13]

보기

$1\frac{1}{2}\times3=\frac{3}{2}\times3=\frac{9}{2}=4\frac{1}{2}$

5 $2\frac{2}{5}\times4$

6 $1\frac{3}{7}\times8$

7 $3\frac{9}{10}\times3$

8 $4\frac{13}{20}\times4$

9 $2\frac{5}{8}\times6$

10 $7\frac{1}{2}\times3$

11 $4\frac{2}{9}\times6$

12 $5\frac{2}{3}\times4$

13 $3\frac{7}{12}\times8$

❋ ☐ 안에 알맞은 수를 써넣으시오. [1~3]

1 $4\frac{1}{4} \times 8 = (4 \times \boxed{8}) + \left(\frac{1}{\underset{1}{\cancel{4}}} \times \overset{2}{\cancel{8}}\right) = \boxed{32} + 2 = \boxed{34}$

대분수를 자연수와 진분수로 나누어 계산할 수 있어.

2 $2\frac{5}{8} \times 5 = (\boxed{} \times 5) + \left(\frac{\boxed{}}{8} \times 5\right) = \boxed{} + \frac{\boxed{}}{8} = \boxed{} + \boxed{}\frac{1}{8} = \boxed{}$

3 $4\frac{3}{7} \times 3 = (\boxed{} \times 3) + \left(\frac{\boxed{}}{7} \times 3\right) = \boxed{} + \frac{\boxed{}}{7} = \boxed{} + \boxed{}\frac{\boxed{}}{7} = \boxed{}$

❋ 보기 와 같은 방법으로 계산해 보시오. [4~12]

보기

$2\frac{3}{8} \times 12 = (2 \times 12) + \left(\frac{3}{\underset{2}{\cancel{8}}} \times \overset{3}{\cancel{12}}\right)$

$= 24 + \frac{9}{2} = 28\frac{1}{2}$

4 $2\frac{2}{5} \times 3$

5 $4\frac{4}{9} \times 15$

6 $4\frac{1}{3} \times 15$

7 $2\frac{5}{9} \times 6$

8 $1\frac{3}{4} \times 8$

9 $3\frac{5}{7} \times 21$

10 $1\frac{1}{6} \times 9$

11 $6\frac{1}{11} \times 33$

12 $7\frac{3}{8} \times 3$

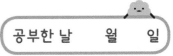

☀ **문제를 읽고 곱셈식과 답을 구하시오.**

1 밀가루가 한 봉지에 $\frac{1}{5}$ kg씩 6봉지 있습니다. 밀가루는 모두 몇 kg입니까?

식 $\frac{1}{5} \times 6 = 1\frac{1}{5}$

답 $1\frac{1}{5}$ kg

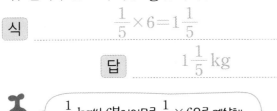

$\frac{1}{5}$ kg씩 6봉지이므로 $\frac{1}{5} \times 6$으로 계산해.

2 길이가 $2\frac{2}{3}$ m인 끈 8개를 겹치지 않게 이었습니다. 이은 끈의 전체 길이는 몇 m입니까?

식

답

3 한 상자에 케이크를 $\frac{5}{8}$개씩 넣으려고 합니다. 40상자에 넣으려면 케이크는 적어도 몇 개 필요합니까?

식

답

4 쿠키 1개를 만드는 데 우유가 $\frac{1}{7}$ L 필요합니다. 쿠키 15개를 만드려면 우유는 적어도 몇 L 필요합니까?

식

답

5 구슬 한 개의 무게는 $2\frac{4}{5}$ g입니다. 구슬 15개의 무게는 몇 g입니까?

식

답

6 주스가 $\frac{3}{4}$ L씩 들어 있는 컵이 5개 있습니다. 주스는 모두 몇 L입니까?

식

답

7 게시판에 넓이가 $6\frac{1}{3}$ cm²인 색종이 20장을 겹치지 않게 이어 붙였습니다. 색종이를 붙인 부분의 넓이는 몇 cm²입니까?

식

답

8 한 명에게 찰흙 $\frac{5}{12}$ kg씩 나누어 주려고 합니다. 21명에게 나누어 주려면 찰흙은 적어도 몇 kg 필요합니까?

식

답

☀ 주어진 정다각형의 둘레를 구하려고 합니다. 곱셈식과 답을 구하시오. [1~4]

1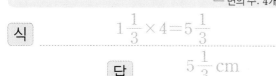
한 변의 길이가 $1\frac{1}{3}$ cm인 정사각형
└ 변의 수: 4개

식　　　　$1\frac{1}{3} \times 4 = 5\frac{1}{3}$

답　　　$5\frac{1}{3}$ cm

$1\frac{1}{3} \times 4 = \frac{4}{3} \times 4 = \frac{16}{3} = 5\frac{1}{3}$ (cm)

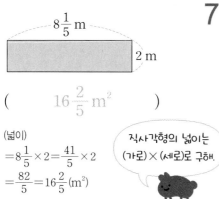
정다각형의 모든 변의 길이는 같아.

3
한 변의 길이가 $3\frac{4}{5}$ cm인 정삼각형

식　

답　

2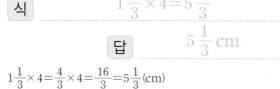
한 변의 길이가 $\frac{15}{16}$ cm인 정팔각형

식　

답　

4
한 변의 길이가 $8\frac{5}{6}$ cm인 정육각형

식　

답　

☀ 직사각형의 넓이를 구해 보시오. [5~10]

5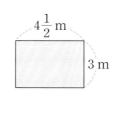
$8\frac{1}{5}$ m / 2 m

(　　$16\frac{2}{5}$ m² 　　)

(넓이)
$= 8\frac{1}{5} \times 2 = \frac{41}{5} \times 2$
$= \frac{82}{5} = 16\frac{2}{5}$ (m²)

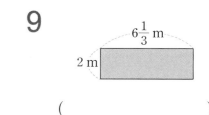
직사각형의 넓이는 (가로)×(세로)로 구해.

7
$4\frac{1}{2}$ m / 3 m

(　　　　　　)

9
$6\frac{1}{3}$ m / 2 m

(　　　　　　)

6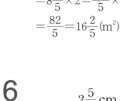
$2\frac{5}{8}$ cm / 4 cm

(　　　　　　)

8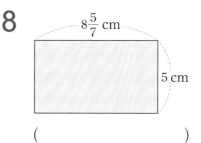
$8\frac{5}{7}$ cm / 5 cm

(　　　　　　)

10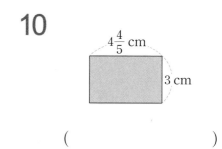
$4\frac{4}{5}$ cm / 3 cm

(　　　　　　)

2 분수의 곱셈

7 (자연수) × (단위분수)

✹ 그림을 보고 ☐ 안에 알맞은 수를 써넣으시오. [1~4]

1

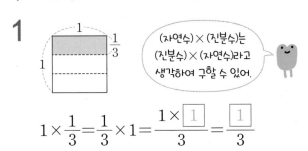

(자연수) × (진분수)는
(진분수) × (자연수)라고
생각하여 구할 수 있어.

$$1 \times \frac{1}{3} = \frac{1}{3} \times 1 = \frac{1 \times \boxed{1}}{3} = \frac{\boxed{1}}{3}$$

3

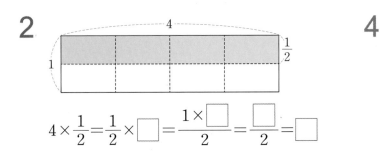

$$4 \times \frac{1}{5} = \frac{1}{5} \times \boxed{} = \frac{1 \times \boxed{}}{5} = \boxed{}$$

2

$$4 \times \frac{1}{2} = \frac{1}{2} \times \boxed{} = \frac{1 \times \boxed{}}{2} = \frac{\boxed{}}{2} = \boxed{}$$

4

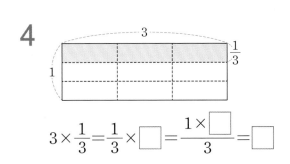

$$3 \times \frac{1}{3} = \frac{1}{3} \times \boxed{} = \frac{1 \times \boxed{}}{3} = \boxed{}$$

✹ 계산해 보시오. [5~19]

5 $16 \times \frac{1}{5}$

10 $16 \times \frac{1}{2}$

15 $20 \times \frac{1}{12}$

6 $8 \times \frac{1}{3}$

11 $7 \times \frac{1}{4}$

16 $8 \times \frac{1}{40}$

7 $16 \times \frac{1}{4}$

12 $24 \times \frac{1}{6}$

17 $81 \times \frac{1}{5}$

8 $8 \times \frac{1}{7}$

13 $30 \times \frac{1}{9}$

18 $46 \times \frac{1}{12}$

9 $25 \times \frac{1}{4}$

14 $14 \times \frac{1}{11}$

19 $15 \times \frac{1}{5}$

✸ □ 안에 알맞은 수를 써넣으시오. [1~5]

1 $7 \times \dfrac{3}{5} = \dfrac{7 \times \boxed{3}}{5} = \dfrac{\boxed{21}}{5} = \boxed{4\frac{1}{5}}$

●×$\dfrac{\blacktriangle}{\blacksquare}$은

$\dfrac{●×\blacktriangle}{\blacksquare}$로 계산해.

2 $16 \times \dfrac{3}{10} = \dfrac{\boxed{} \times 3}{10} = \dfrac{\boxed{}}{10}$
$= \dfrac{\boxed{}}{5} = \boxed{}$

4 $14 \times \dfrac{3}{8} = \dfrac{\boxed{} \times \boxed{}}{8} = \dfrac{\boxed{}}{8}$
$= \dfrac{\boxed{}}{4} = \boxed{}$

3 $24 \times \dfrac{8}{15} = \dfrac{\boxed{} \times \boxed{}}{15} = \dfrac{\boxed{}}{15}$
$= \dfrac{\boxed{}}{5} = \boxed{}$

5 $20 \times \dfrac{11}{30} = \dfrac{\boxed{} \times \boxed{}}{30} = \dfrac{\boxed{}}{30}$
$= \dfrac{\boxed{}}{3} = \boxed{}$

✸ 계산해 보시오. [6~20]

6 $20 \times \dfrac{5}{8}$

11 $14 \times \dfrac{3}{7}$

16 $15 \times \dfrac{17}{30}$

7 $8 \times \dfrac{3}{4}$

12 $18 \times \dfrac{5}{6}$

17 $21 \times \dfrac{17}{60}$

8 $27 \times \dfrac{7}{12}$

13 $12 \times \dfrac{3}{8}$

18 $34 \times \dfrac{4}{15}$

9 $20 \times \dfrac{4}{5}$

14 $16 \times \dfrac{5}{24}$

19 $18 \times \dfrac{7}{9}$

10 $15 \times \dfrac{2}{3}$

15 $23 \times \dfrac{4}{7}$

20 $24 \times \dfrac{3}{8}$

2

분수의 곱셈

☀ □ 안에 알맞은 수를 써넣으시오. [1~4]

1 $8 \times 2\frac{1}{4} = \cancel{8} \times \frac{\boxed{9}}{\cancel{4}_{\boxed{1}}}^{\boxed{2}} = \boxed{18}$

계산 과정에서 약분이 되면 약분을 하고 계산하는 것이 편해.

3 $27 \times 3\frac{7}{9} = \cancel{27} \times \frac{\boxed{}}{\cancel{9}_{\boxed{}}} = \boxed{}$

2 $14 \times 1\frac{5}{6} = \cancel{14} \times \frac{\boxed{}}{\cancel{6}_{\boxed{}}} = \frac{\boxed{}}{3} = \boxed{}$

4 $35 \times 1\frac{4}{21} = \cancel{35} \times \frac{\boxed{}}{\cancel{21}_{\boxed{}}} = \frac{\boxed{}}{3} = \boxed{}$

☀ 보기 와 같은 방법으로 계산해 보시오. [5~15]

보기
$$8 \times 3\frac{1}{3} = 8 \times \frac{10}{3} = \frac{80}{3} = 26\frac{2}{3}$$

5 $10 \times 1\frac{4}{5}$

6 $8 \times 6\frac{1}{3}$

7 $12 \times 1\frac{1}{3}$

8 $6 \times 4\frac{7}{12}$

9 $3 \times 5\frac{5}{9}$

10 $7 \times 2\frac{13}{14}$

11 $9 \times 1\frac{5}{12}$

12 $11 \times 2\frac{3}{10}$

13 $2 \times 4\frac{7}{8}$

14 $5 \times 3\frac{2}{7}$

15 $6 \times 8\frac{1}{2}$

10 (자연수)×(대분수)⑵—대분수를 자연수와 진분수로 나누어 계산 —

☀ □ 안에 알맞은 수를 써넣으시오. [1~3]

1 $5 \times 3\frac{1}{6} = (5 \times \boxed{3}) + (5 \times \frac{\boxed{1}}{6}) = \boxed{15} + \frac{\boxed{5}}{6} = \boxed{15\frac{5}{6}}$

$3\frac{1}{6}$을 3과 $\frac{1}{6}$로 나누어 계산해 봐.

2 $12 \times 3\frac{5}{8} = (12 \times \boxed{}) + (\overset{\boxed{}}{\cancel{12}} \times \frac{\boxed{}}{\underset{\boxed{}}{\cancel{8}}}) = \boxed{} + \frac{\boxed{}}{2} = \boxed{} + \boxed{}\frac{\boxed{}}{2} = \boxed{}$

3 $15 \times 2\frac{3}{5} = (15 \times \boxed{}) + (\overset{\boxed{}}{\cancel{15}} \times \frac{\boxed{}}{\underset{\boxed{}}{\cancel{5}}}) = \boxed{} + \boxed{} = \boxed{}$

☀ 보기와 같은 방법으로 계산해 보시오. [4~12]

보기

$$6 \times 2\frac{3}{10} = (6 \times 2) + (\overset{3}{\cancel{6}} \times \frac{3}{\underset{5}{\cancel{10}}})$$
$$= 12 + \frac{9}{5} = 13\frac{4}{5}$$

4 $18 \times 3\frac{5}{12}$

5 $4 \times 2\frac{2}{3}$

6 $5 \times 2\frac{3}{20}$

7 $18 \times 3\frac{7}{9}$

8 $14 \times 3\frac{2}{7}$

9 $27 \times 1\frac{5}{6}$

10 $12 \times 1\frac{8}{9}$

11 $15 \times 1\frac{7}{30}$

12 $18 \times 2\frac{8}{15}$

2 분수의 곱셈

11 (자연수)×(분수)의 활용 (1) – 문장제

☀ **문제를 읽고 식과 답을 구하시오.**

1 책 24권 중에서 $\frac{1}{3}$만큼 읽었습니다. 읽은 책은 몇 권입니까?

식 $24 \times \frac{1}{3} = 8$

답   8권

$\overset{8}{\cancel{24}} \times \frac{1}{\cancel{3}} = 8(권)$

2 물 3 L 중에서 $\frac{5}{6}$만큼 사용했습니다. 사용한 물은 몇 L입니까?

식

답

3 길이가 12 m인 끈의 $\frac{7}{8}$만큼을 사용했습니다. 사용한 끈의 길이는 몇 m입니까?

식

답

4 현진이네 집에서 학교까지의 거리는 2 km의 $2\frac{3}{5}$입니다. 현진이네 집에서 학교까지의 거리는 몇 km입니까?

식

답

5 구슬 120개 중에서 $\frac{7}{10}$은 파란색 구슬입니다. 파란색 구슬은 몇 개입니까?

식

답

6 꽃 15송이 중에서 $\frac{2}{5}$가 장미입니다. 장미는 몇 송이입니까?

식

답

7 인형을 포장하는 데 리본이 6 m의 $2\frac{5}{8}$만큼 필요합니다. 인형을 포장하는 데 필요한 리본은 몇 m입니까?

식

답

8 예지는 훈이가 가지고 있는 쌀의 $3\frac{4}{5}$만큼 가지고 있습니다. 훈이가 가지고 있는 쌀이 8 kg일 때 예지가 가지고 있는 쌀은 몇 kg입니까?

식

답

☀ 주어진 도형의 넓이를 구해 보시오.

1

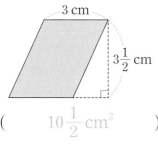

3 cm

$3\frac{1}{2}$ cm

($10\frac{1}{2}$ cm²   )

$3 \times 3\frac{1}{2} = (3 \times 3) + \left(3 \times \frac{1}{2}\right)$

$= 9 + 1\frac{1}{2} = 10\frac{1}{2}$ (cm²)

(직사각형의 넓이)
=(가로)×(세로)
(평행사변형의 넓이)
=(밑변의 길이)×(높이)

8

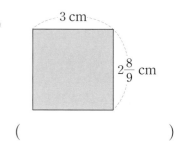

3 cm

$2\frac{8}{9}$ cm

(   )

2

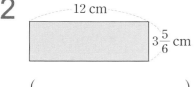

12 cm

$3\frac{5}{6}$ cm

(   )

5

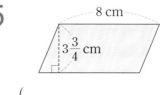

8 cm

$3\frac{3}{4}$ cm

(   )

9

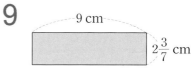

9 cm

$2\frac{3}{7}$ cm

(   )

3

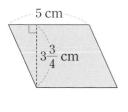

5 cm

$3\frac{3}{4}$ cm

(   )

6

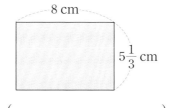

8 cm

$5\frac{1}{3}$ cm

(   )

10

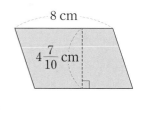

8 cm

$4\frac{7}{10}$ cm

(   )

4

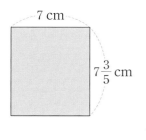

7 cm

$7\frac{3}{5}$ cm

(   )

7

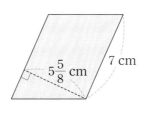

$5\frac{5}{8}$ cm

7 cm

(   )

11

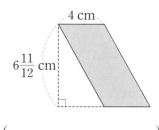

4 cm

$6\frac{11}{12}$ cm

(   )

2

분수의 곱셈

☀ 크기를 비교하여 ○ 안에 >, =, <를 알맞게 써넣으시오. [1~17]

1 $5 \bigcirc\!\!\!> \dfrac{2}{3} \times 5$
└─1보다 작은 수

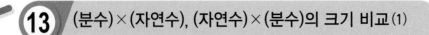
곱하는 수 또는 곱해지는 수가 1보다 크면 값이 커지고, 곱하는 수 또는 곱해지는 수가 1보다 작으면 값이 작아져.

2 $5 \bigcirc 5 \times \dfrac{1}{8}$

3 $5 \bigcirc 5 \times \dfrac{6}{7}$

4 $5 \bigcirc 1\dfrac{1}{3} \times 5$

5 $5 \bigcirc 5 \times 3\dfrac{1}{2}$

6 $13 \bigcirc \dfrac{1}{3} \times 13$

7 $13 \bigcirc \dfrac{14}{15} \times 13$

8 $13 \bigcirc 13 \times \dfrac{1}{14}$

9 $13 \bigcirc 13 \times \dfrac{4}{5}$

10 $13 \bigcirc 2\dfrac{1}{4} \times 13$

11 $13 \bigcirc 13 \times 1\dfrac{1}{2}$

12 $7 \bigcirc \dfrac{1}{2} \times 7$

13 $7 \bigcirc \dfrac{79}{80} \times 7$

14 $7 \bigcirc 7 \times \dfrac{1}{5}$

15 $7 \bigcirc 7 \times \dfrac{49}{50}$

16 $7 \bigcirc 3\dfrac{2}{5} \times 7$

17 $7 \bigcirc 7 \times 1\dfrac{1}{4}$

☀ 계산 결과가 왼쪽의 수보다 큰 식에 모두 ○표 하시오. [18~20]

18 | 24 | $24 \times \dfrac{1}{3}$ | $2\dfrac{3}{4} \times 24$ | 24×1 | $24 \times 2\dfrac{1}{3}$ | $\dfrac{9}{10} \times 24$ |

19 | 10 | $10 \times 1\dfrac{1}{3}$ | 10×1 | $\dfrac{3}{4} \times 10$ | $10 \times \dfrac{33}{50}$ | $5\dfrac{1}{2} \times 10$ |

20 | 33 | $\dfrac{11}{14} \times 33$ | $33 \times 1\dfrac{2}{3}$ | $33 \times \dfrac{3}{4}$ | 1×33 | $5\dfrac{1}{14} \times 33$ |

☀ ○ 안에 >, =, <를 알맞게 써넣으시오.

1 $\dfrac{2}{3} \times 5$ ⟨<⟩ $\dfrac{3}{4} \times 5$

$= \dfrac{10}{3} = 3\dfrac{1}{3}$ $= \dfrac{15}{4} = 3\dfrac{3}{4}$

$3\dfrac{4}{12}$ ⟨<⟩ $3\dfrac{9}{12}$

> 계산한 값의 자연수 부분이 같고 분모가 서로 다르면 두 분수를 통분하여 크기를 비교해.

2 $9 \times \dfrac{2}{3}$ ○ $12 \times \dfrac{3}{4}$

3 $1\dfrac{1}{2} \times 12$ ○ $1\dfrac{1}{3} \times 10$

4 $8 \times 4\dfrac{3}{4}$ ○ $4\dfrac{1}{2} \times 7$

5 $3\dfrac{2}{7} \times 3$ ○ $2\dfrac{2}{5} \times 4$

6 $2\dfrac{5}{6} \times 9$ ○ $21 \times 1\dfrac{2}{7}$

7 $15 \times \dfrac{3}{5}$ ○ $10 \times \dfrac{1}{2}$

8 $7\dfrac{5}{6} \times 3$ ○ $9\dfrac{3}{4} \times 2$

9 $\dfrac{4}{7} \times 3$ ○ $4 \times \dfrac{1}{3}$

10 $8\dfrac{1}{5} \times 4$ ○ $12 \times 2\dfrac{17}{18}$

11 $\dfrac{4}{17} \times 34$ ○ $144 \times \dfrac{1}{12}$

12 $1\dfrac{3}{13} \times 39$ ○ $48 \times 1\dfrac{5}{16}$

13 $4 \times 3\dfrac{7}{12}$ ○ $2\dfrac{13}{16} \times 4$

14 $\dfrac{15}{16} \times 14$ ○ $15 \times \dfrac{24}{25}$

2
분수의 곱셈

☀ □ 안에 알맞은 수를 써넣으시오. [1~4]

1 $\dfrac{1}{5} \times \dfrac{1}{4} = \dfrac{1}{5 \times \boxed{4}} = \boxed{\dfrac{1}{20}}$

$\dfrac{1}{\blacksquare} \times \dfrac{1}{\bullet} = \dfrac{1}{\blacksquare \times \bullet}$

단위분수와 단위분수의
곱은 단위분수야.

3 $\dfrac{1}{7} \times \dfrac{1}{8} = \dfrac{1}{\boxed{} \times 8} = \boxed{}$

2 $\dfrac{1}{6} \times \dfrac{1}{8} = \dfrac{1}{\boxed{} \times 8} = \boxed{}$

4 $\dfrac{1}{7} \times \dfrac{1}{10} = \dfrac{1}{\boxed{} \times \boxed{}} = \boxed{}$

☀ 계산해 보시오. [5~22]

5 $\dfrac{1}{9} \times \dfrac{1}{9}$

6 $\dfrac{1}{4} \times \dfrac{1}{7}$

7 $\dfrac{1}{8} \times \dfrac{1}{9}$

8 $\dfrac{1}{13} \times \dfrac{1}{2}$

9 $\dfrac{1}{26} \times \dfrac{1}{3}$

10 $\dfrac{1}{8} \times \dfrac{1}{6}$

11 $\dfrac{1}{6} \times \dfrac{1}{3}$

12 $\dfrac{1}{5} \times \dfrac{1}{5}$

13 $\dfrac{1}{10} \times \dfrac{1}{4}$

14 $\dfrac{1}{3} \times \dfrac{1}{3}$

15 $\dfrac{1}{2} \times \dfrac{1}{14}$

16 $\dfrac{1}{5} \times \dfrac{1}{8}$

17 $\dfrac{1}{9} \times \dfrac{1}{3}$

18 $\dfrac{1}{12} \times \dfrac{1}{3}$

19 $\dfrac{1}{3} \times \dfrac{1}{16}$

20 $\dfrac{1}{7} \times \dfrac{1}{3}$

21 $\dfrac{1}{11} \times \dfrac{1}{4}$

22 $\dfrac{1}{5} \times \dfrac{1}{12}$

16 (단위분수)×(단위분수)의 크기 비교

☀ ○ 안에 >, =, <를 알맞게 써넣으시오.

1 $\dfrac{1}{3}$ ⊘ $\dfrac{1}{3} \times \dfrac{1}{4}$
   $= \dfrac{1}{12}$

어떤 분수에 1보다 작은 분수를 곱하면 그 결과는 처음 분수보다 작아.

2 $\dfrac{1}{2} \times \dfrac{1}{5}$ ○ $\dfrac{1}{5}$

3 $\dfrac{1}{6} \times \dfrac{1}{4}$ ○ $\dfrac{1}{4} \times \dfrac{1}{6}$

4 $\dfrac{1}{8} \times \dfrac{1}{3}$ ○ $\dfrac{1}{6} \times \dfrac{1}{5}$

5 $\dfrac{1}{12} \times \dfrac{1}{3}$ ○ $\dfrac{1}{9} \times \dfrac{1}{4}$

6 $\dfrac{1}{3}$ ○ $\dfrac{1}{9} \times \dfrac{1}{3}$

7 $\dfrac{1}{14} \times \dfrac{1}{2}$ ○ $\dfrac{1}{14}$

8 $\dfrac{1}{6} \times \dfrac{1}{2}$ ○ $\dfrac{1}{6}$

9 $\dfrac{1}{3} \times \dfrac{1}{4}$ ○ $\dfrac{1}{4} \times \dfrac{1}{3}$

10 $\dfrac{1}{6} \times \dfrac{1}{3}$ ○ $\dfrac{1}{6}$

11 $\dfrac{1}{4} \times \dfrac{1}{3}$ ○ $\dfrac{1}{6} \times \dfrac{1}{2}$

12 $\dfrac{1}{10} \times \dfrac{1}{8}$ ○ $\dfrac{1}{8}$

13 $\dfrac{1}{11} \times \dfrac{1}{3}$ ○ $\dfrac{1}{11}$

14 $\dfrac{1}{13} \times \dfrac{1}{8}$ ○ $\dfrac{1}{4} \times \dfrac{1}{26}$

15 $\dfrac{1}{7}$ ○ $\dfrac{1}{3} \times \dfrac{1}{2}$

16 $\dfrac{1}{10} \times \dfrac{1}{3}$ ○ $\dfrac{1}{6} \times \dfrac{1}{5}$

17 $\dfrac{1}{5} \times \dfrac{1}{3}$ ○ $\dfrac{1}{16}$

18 $\dfrac{1}{26} \times \dfrac{1}{2}$ ○ $\dfrac{1}{12} \times \dfrac{1}{4}$

19 $\dfrac{1}{30} \times \dfrac{1}{4}$ ○ $\dfrac{1}{20} \times \dfrac{1}{5}$

20 $\dfrac{1}{8} \times \dfrac{1}{10}$ ○ $\dfrac{1}{7} \times \dfrac{1}{12}$

2 분수의 곱셈

17 (진분수)×(단위분수), (단위분수)×(진분수)

☀ 계산해 보시오.

1 $\dfrac{5}{6} \times \dfrac{1}{4} = \dfrac{5}{24}$

$= \dfrac{5 \times 1}{6 \times 4} = \dfrac{5}{24}$

분모는 분모끼리, 분자는 분자끼리 곱해서 계산해.

$\dfrac{1}{\blacktriangle} \times \dfrac{\bullet}{\blacksquare} = \dfrac{1 \times \bullet}{\blacktriangle \times \blacksquare}$

14 $\dfrac{1}{12} \times \dfrac{9}{13}$

2 $\dfrac{7}{13} \times \dfrac{1}{2}$

8 $\dfrac{1}{7} \times \dfrac{5}{8}$

15 $\dfrac{16}{19} \times \dfrac{1}{8}$

3 $\dfrac{1}{8} \times \dfrac{4}{7}$

9 $\dfrac{2}{17} \times \dfrac{1}{3}$

16 $\dfrac{64}{81} \times \dfrac{1}{24}$

4 $\dfrac{15}{16} \times \dfrac{1}{3}$

10 $\dfrac{2}{3} \times \dfrac{1}{72}$

17 $\dfrac{1}{6} \times \dfrac{7}{8}$

5 $\dfrac{1}{24} \times \dfrac{16}{21}$

11 $\dfrac{1}{13} \times \dfrac{26}{27}$

18 $\dfrac{4}{17} \times \dfrac{1}{16}$

6 $\dfrac{7}{10} \times \dfrac{1}{5}$

12 $\dfrac{21}{22} \times \dfrac{1}{7}$

19 $\dfrac{1}{3} \times \dfrac{13}{15}$

7 $\dfrac{1}{12} \times \dfrac{6}{17}$

13 $\dfrac{1}{25} \times \dfrac{15}{17}$

20 $\dfrac{1}{48} \times \dfrac{3}{5}$

☀ ○ 안에 >, =, <를 알맞게 써넣으시오.

1 $\frac{1}{4} \times \frac{5}{12}$ ⊜ $\frac{5}{12} \times \frac{1}{4}$

$= \frac{5}{48}$ $= \frac{5}{48}$

곱하는 순서가 바뀌어도
값은 같아.
■ × ▲ = ▲ × ■

8 $\frac{3}{7} \times \frac{1}{3}$ ○ $\frac{8}{9} \times \frac{1}{8}$

2 $\frac{1}{5} \times \frac{5}{8}$ ○ $\frac{5}{8} \times \frac{1}{4}$

9 $\frac{1}{4} \times \frac{8}{15}$ ○ $\frac{2}{3} \times \frac{1}{4}$

3 $\frac{3}{7} \times \frac{1}{3}$ ○ $\frac{3}{5} \times \frac{1}{3}$

10 $\frac{8}{11} \times \frac{1}{5}$ ○ $\frac{1}{5} \times \frac{8}{11}$

4 $\frac{4}{13} \times \frac{1}{8}$ ○ $\frac{1}{12} \times \frac{6}{13}$

11 $\frac{3}{4} \times \frac{1}{12}$ ○ $\frac{1}{2} \times \frac{5}{16}$

5 $\frac{3}{10} \times \frac{1}{3}$ ○ $\frac{7}{20} \times \frac{1}{4}$

12 $\frac{13}{70} \times \frac{1}{13}$ ○ $\frac{1}{72} \times \frac{72}{73}$

6 $\frac{1}{12} \times \frac{15}{19}$ ○ $\frac{1}{10} \times \frac{15}{19}$

13 $\frac{8}{21} \times \frac{1}{24}$ ○ $\frac{1}{7} \times \frac{14}{27}$

7 $\frac{9}{14} \times \frac{1}{3}$ ○ $\frac{10}{21} \times \frac{1}{5}$

14 $\frac{1}{9} \times \frac{4}{15}$ ○ $\frac{4}{9} \times \frac{1}{15}$

☀ □ 안에 알맞은 수를 써넣으시오. [1~7]

1 $\dfrac{5}{6}$ $\dfrac{3}{4}$ ⇨ $\dfrac{3}{4} \times \dfrac{5}{6} = \dfrac{\overset{5}{\cancel{15}}}{\underset{8}{24}} = \boxed{\dfrac{5}{8}}$

분자는 분자끼리, 분모는 분모끼리 곱해야 돼.

4 $\dfrac{5}{6} \times \dfrac{4}{9} = \dfrac{5 \times \overset{2}{\cancel{4}}}{\underset{\square}{\cancel{6}} \times 9} = \boxed{}$

2 $\dfrac{3}{4}$ $\dfrac{3}{5}$ ⇨ $\dfrac{3}{5} \times \dfrac{3}{4} = \boxed{}$

5 $\dfrac{5}{8} \times \dfrac{7}{10} = \dfrac{\overset{1}{\cancel{5}} \times 7}{8 \times \underset{\square}{\cancel{10}}} = \boxed{}$

6 $\dfrac{8}{9} \times \dfrac{3}{4} = \dfrac{\square \times 3}{\square \times 4} = \dfrac{\overset{\square}{24}}{\underset{3}{36}} = \boxed{}$

3 $\dfrac{2}{3}$ $\dfrac{5}{6}$ ⇨ $\dfrac{5}{6} \times \dfrac{2}{3} = \dfrac{\boxed{}}{\underset{9}{18}} = \boxed{}$

7 $\dfrac{7}{12} \times \dfrac{9}{10} = \dfrac{7 \times \square}{12 \times \square} = \dfrac{\overset{\square}{63}}{\underset{40}{120}} = \boxed{}$

☀ 계산해 보시오. [8~19]

8 $\dfrac{4}{27} \times \dfrac{9}{16}$

12 $\dfrac{19}{27} \times \dfrac{21}{38}$

16 $\dfrac{7}{18} \times \dfrac{3}{14}$

9 $\dfrac{5}{14} \times \dfrac{7}{25}$

13 $\dfrac{8}{15} \times \dfrac{24}{25}$

17 $\dfrac{15}{16} \times \dfrac{7}{10}$

10 $\dfrac{5}{6} \times \dfrac{13}{20}$

14 $\dfrac{17}{27} \times \dfrac{15}{34}$

18 $\dfrac{39}{144} \times \dfrac{12}{13}$

11 $\dfrac{12}{35} \times \dfrac{15}{36}$

15 $\dfrac{11}{15} \times \dfrac{25}{121}$

19 $\dfrac{13}{18} \times \dfrac{6}{7}$

20 (진분수)×(진분수)의 크기 비교

☀ 계산 결과가 더 큰 것에 ◯표 하시오.

1 $\dfrac{\overset{1}{\cancel{5}}}{16} \times \dfrac{\overset{1}{\cancel{4}}}{\underset{3}{\cancel{15}}} = \dfrac{1}{12}$ $\dfrac{\overset{1}{\cancel{7}}}{8} \times \dfrac{1}{\underset{2}{\cancel{14}}} = \dfrac{1}{16}$

(◯)   (   )

$\dfrac{1}{12} \gt \dfrac{1}{16}$

2 $\dfrac{4}{10} \times \dfrac{1}{2}$ $\dfrac{2}{5} \times \dfrac{3}{5}$

(   )   (   )

3 $\dfrac{7}{25} \times \dfrac{3}{4}$ $\dfrac{3}{10} \times \dfrac{4}{5}$

(   )   (   )

4 $\dfrac{40}{132} \times \dfrac{12}{25}$ $\dfrac{11}{50} \times \dfrac{45}{121}$

(   )   (   )

5 $\dfrac{5}{6} \times \dfrac{81}{100}$ $\dfrac{13}{15} \times \dfrac{3}{4}$

(   )   (   )

6 $\dfrac{5}{7} \times \dfrac{21}{25}$ $\dfrac{3}{10} \times \dfrac{5}{6}$

(   )   (   )

7 $\dfrac{15}{58} \times \dfrac{29}{30}$ $\dfrac{3}{17} \times \dfrac{17}{18}$

(   )   (   )

8 $\dfrac{7}{32} \times \dfrac{25}{28}$ $\dfrac{15}{16} \times \dfrac{3}{10}$

(   )   (   )

9 $\dfrac{6}{7} \times \dfrac{3}{7}$ $\dfrac{27}{49} \times \dfrac{7}{9}$

(   )   (   )

10 $\dfrac{9}{91} \times \dfrac{14}{27}$ $\dfrac{12}{65} \times \dfrac{25}{36}$

(   )   (   )

11 $\dfrac{27}{44} \times \dfrac{8}{9}$ $\dfrac{28}{33} \times \dfrac{3}{8}$

(   )   (   )

12 $\dfrac{12}{17} \times \dfrac{34}{48}$ $\dfrac{27}{36} \times \dfrac{30}{72}$

(   )   (   )

2 분수의 곱셈

21 (진분수)×(대분수), (대분수)×(진분수)

☀ □ 안에 알맞은 수를 써넣으시오. [1~4]

1 $1\frac{3}{5} \times \frac{1}{2} = \frac{\boxed{8}}{5} \times \frac{1}{2} = \frac{\overset{4}{\cancel{8}}}{\underset{5}{\cancel{10}}} = \boxed{\frac{4}{5}}$

 대분수를 가분수로 바꾸어 계산해. 약분할 수 있으면 약분하는 것이 좋아.

2 $\frac{7}{8} \times 4\frac{4}{5} = \frac{7}{\underset{1}{\cancel{8}}} \times \frac{\boxed{}}{5} = \frac{\boxed{}}{5} = \boxed{}\frac{\boxed{}}{5}$

3 $\frac{4}{7} \times 2\frac{5}{8} = \frac{\overset{}{\cancel{4}}}{\underset{1}{\cancel{7}}} \times \frac{\overset{}{\cancel{21}}}{\underset{2}{\cancel{8}}} = \frac{\boxed{}}{\boxed{}} = \boxed{}$

4 $5\frac{1}{3} \times \frac{9}{16} = \frac{\overset{1}{\cancel{16}}}{\underset{1}{\cancel{3}}} \times \frac{\overset{}{\cancel{9}}}{\underset{}{\cancel{16}}} = \boxed{}$

☀ 계산해 보시오. [5~16]

5 $\frac{5}{6} \times 2\frac{2}{3}$

6 $5\frac{3}{7} \times \frac{17}{19}$

7 $\frac{12}{13} \times 1\frac{1}{4}$

8 $4\frac{1}{3} \times \frac{11}{15}$

9 $\frac{7}{9} \times 3\frac{3}{14}$

10 $5\frac{3}{4} \times \frac{31}{46}$

11 $\frac{98}{121} \times 12\frac{4}{7}$

12 $16\frac{1}{5} \times \frac{8}{9}$

13 $\frac{5}{13} \times 6\frac{1}{15}$

14 $2\frac{31}{36} \times \frac{6}{7}$

15 $\frac{9}{17} \times 7\frac{1}{12}$

16 $9\frac{1}{6} \times \frac{8}{15}$

☀ ○ 안에 >, =, <를 알맞게 써넣으시오.

1 $3\frac{3}{4} \times \frac{7}{10}$ ⃝< $\frac{7}{10} \times 4\frac{2}{3}$

$\frac{\overset{3}{\cancel{15}}}{4} \times \frac{7}{\underset{2}{\cancel{10}}} = \frac{21}{8} = 2\frac{5}{8}$ ⃝< $\frac{7}{\underset{5}{\cancel{10}}} \times \frac{\overset{7}{\cancel{14}}}{3} = \frac{49}{15} = 3\frac{4}{15}$

7 $2\frac{3}{5} \times \frac{11}{12}$ ⃝ $\frac{7}{15} \times 2\frac{1}{2}$

2 $2\frac{2}{5} \times \frac{7}{8}$ ⃝ $2\frac{7}{8} \times \frac{4}{5}$

8 $\frac{3}{5} \times 4\frac{2}{9}$ ⃝ $3\frac{6}{7} \times \frac{2}{3}$

3 $\frac{7}{9} \times 2\frac{25}{28}$ ⃝ $2\frac{4}{25} \times \frac{5}{6}$

9 $\frac{7}{27} \times 5\frac{11}{14}$ ⃝ $4\frac{21}{25} \times \frac{20}{33}$

4 $\frac{11}{12} \times 2\frac{2}{77}$ ⃝ $3\frac{7}{12} \times \frac{27}{86}$

10 $\frac{1}{3} \times 5\frac{1}{2}$ ⃝ $\frac{1}{2} \times 5\frac{1}{3}$

5 $15\frac{1}{2} \times \frac{2}{3}$ ⃝ $14\frac{7}{8} \times \frac{3}{4}$

11 $\frac{8}{9} \times 5\frac{1}{7}$ ⃝ $4\frac{7}{8} \times \frac{12}{13}$

6 $\frac{5}{7} \times 9\frac{4}{5}$ ⃝ $\frac{4}{5} \times 8\frac{3}{4}$

12 $15\frac{1}{3} \times \frac{21}{23}$ ⃝ $17\frac{1}{2} \times \frac{6}{7}$

2 분수의 곱셈

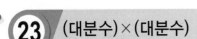 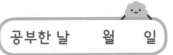

23 (대분수) × (대분수)

공부한 날   월   일

❋ □ 안에 알맞은 수를 써넣으시오. [1~4]

1 $3\frac{1}{3} \times 1\frac{2}{5} = \frac{\overset{10}{\cancel{10}}}{3} \times \frac{\overset{7}{\cancel{7}}}{\underset{1}{\cancel{5}}} = \frac{\boxed{14}}{3} = \boxed{4\frac{2}{3}}$

대분수를 가분수로 바꾼 뒤, 약분할 수 있으면 약분하여 계산하는 것이 편리해.

3 $2\frac{3}{5} \times 1\frac{4}{13} = \frac{\overset{\square}{\cancel{13}}}{5} \times \frac{\square}{\underset{\square}{\cancel{13}}} = \frac{\square}{5} = \square$

2 $2\frac{1}{3} \times 1\frac{1}{8} = \frac{\square}{\underset{\square}{\cancel{3}}} \times \frac{\overset{\square}{\cancel{9}}}{8} = \frac{\square}{8} = \square$

4 $3\frac{3}{4} \times 1\frac{4}{5} = \frac{15}{4} \times \frac{\overset{\square}{\cancel{9}}}{\underset{\square}{\cancel{5}}} = \frac{\square}{4} = \square$

❋ 계산해 보시오. [5~16]

5 $2\frac{1}{7} \times 2\frac{1}{10}$

11 $3\frac{5}{8} \times 1\frac{2}{5}$

6 $2\frac{1}{3} \times 1\frac{2}{7}$

12 $4\frac{5}{8} \times 2\frac{2}{3}$

7 $6\frac{1}{4} \times 1\frac{3}{13}$

13 $3\frac{7}{8} \times 1\frac{1}{2}$

8 $1\frac{2}{5} \times 1\frac{3}{7}$

14 $2\frac{8}{21} \times 1\frac{13}{15}$

9 $5\frac{1}{3} \times 3\frac{3}{8}$

15 $8\frac{8}{9} \times 4\frac{4}{5}$

10 $3\frac{1}{5} \times 4\frac{1}{4}$

16 $2\frac{11}{12} \times 2\frac{6}{7}$

☀ 계산 결과가 더 큰 것에 ◯표 하시오.

1

$8\frac{2}{5} \times 2\frac{1}{7}$ ( )

$6\frac{3}{5} \times 3\frac{7}{11}$ (◯)

$\overset{6}{\underset{1}{\cancel{42}}} \times \overset{3}{\underset{1}{\cancel{15}}} = 18$

$\overset{3}{\underset{1}{\cancel{33}}} \times \overset{8}{\underset{1}{\cancel{40}}} = 24$

6

$2\frac{2}{5} \times 6\frac{2}{3}$ ( )

$11\frac{1}{4} \times 1\frac{3}{5}$ ( )

2

$8\frac{1}{7} \times 1\frac{2}{3}$ ( )

$4\frac{1}{2} \times 2\frac{4}{5}$ ( )

7

$6\frac{2}{7} \times 5\frac{1}{4}$ ( )

$8\frac{2}{5} \times 3\frac{2}{3}$ ( )

3

$6\frac{6}{7} \times 1\frac{11}{12}$ ( )

$3\frac{3}{8} \times 3\frac{7}{9}$ ( )

8

$4\frac{1}{6} \times 5\frac{1}{4}$ ( )

$5\frac{3}{5} \times 4\frac{2}{7}$ ( )

4

$4\frac{5}{8} \times 3\frac{1}{5}$ ( )

$6\frac{2}{5} \times 2\frac{5}{8}$ ( )

9

$1\frac{7}{8} \times 6\frac{2}{3}$ ( )

$2\frac{3}{4} \times 3\frac{1}{3}$ ( )

5

$14\frac{1}{2} \times 2\frac{4}{5}$ ( )

$7\frac{21}{41} \times 4\frac{11}{28}$ ( )

10

$2\frac{8}{11} \times 5\frac{1}{4}$ ( )

$3\frac{1}{3} \times 4\frac{3}{5}$ ( )

☀ □ 안에 알맞은 수를 써넣으시오. [1~3]

1   $\dfrac{3}{4} \times \dfrac{2}{5} \times \dfrac{1}{6} = \left(\dfrac{3}{4} \times \dfrac{2}{5}\right) \times \dfrac{1}{6} = \dfrac{3}{10} \times \dfrac{1}{6} = \boxed{\dfrac{1}{20}}$

> 세 진분수의 곱셈은 앞에서부터 2개씩 계산하거나, 분모는 분모끼리, 분자는 분자끼리 모두 곱하고 약분하여 계산할 수 있어.

2   $\dfrac{3}{7} \times \dfrac{3}{5} \times \dfrac{5}{6} = \dfrac{3 \times 3 \times 5}{7 \times 5 \times 6} = \boxed{}$

3   $\dfrac{1}{2} \times \dfrac{4}{3} \times \dfrac{5}{7} = \boxed{}$

☀ 계산해 보시오. [4~13]

4   $\dfrac{3}{4} \times \dfrac{2}{5} \times \dfrac{2}{9}$

5   $\dfrac{2}{3} \times \dfrac{3}{8} \times \dfrac{2}{3}$

6   $\dfrac{7}{11} \times \dfrac{11}{14} \times \dfrac{3}{4}$

7   $\dfrac{7}{8} \times \dfrac{40}{49} \times \dfrac{5}{6}$

8   $\dfrac{15}{16} \times \dfrac{2}{5} \times \dfrac{8}{9}$

9   $\dfrac{3}{5} \times \dfrac{1}{4} \times \dfrac{2}{5}$

10   $\dfrac{6}{13} \times \dfrac{7}{11} \times \dfrac{5}{6}$

11   $\dfrac{7}{15} \times \dfrac{4}{21} \times \dfrac{5}{12}$

12   $\dfrac{15}{17} \times \dfrac{7}{10} \times \dfrac{1}{3}$

13   $\dfrac{11}{18} \times \dfrac{20}{33} \times \dfrac{3}{13}$

✺ □ 안에 알맞은 수를 써넣으시오. [1~2]

1 $1\frac{3}{5} \times \frac{1}{4} \times \frac{5}{7} = \left(\frac{\boxed{8}^{\boxed{2}}}{5} \times \frac{1}{\boxed{4}_{\boxed{1}}}\right) \times \frac{5}{7} = \frac{\boxed{2}}{\boxed{5}_{\boxed{1}}} \times \frac{5}{7} = \frac{\boxed{2}}{7}$

대분수가 있는 세 분수의 곱셈은 대분수를 가분수로 바꾼 후 계산해.

2 $4\frac{2}{3} \times \frac{9}{10} \times 1\frac{1}{4} = \frac{\boxed{}}{3} \times \frac{9}{10} \times \frac{\boxed{}}{4} = \frac{\overset{7}{14} \times \overset{\boxed{}}{9} \times \overset{\boxed{}}{5}}{\underset{\boxed{}}{3} \times \underset{\boxed{}}{10} \times \underset{2}{4}} = \frac{\boxed{}}{4} = \boxed{}$

✺ 계산해 보시오. [3~12]

3 $4\frac{1}{2} \times 4\frac{2}{3} \times \frac{1}{7}$

4 $\frac{5}{13} \times \frac{7}{9} \times 1\frac{11}{15}$

5 $5\frac{5}{8} \times \frac{2}{5} \times \frac{16}{17}$

6 $5\frac{3}{5} \times 1\frac{2}{7} \times \frac{5}{6}$

7 $3\frac{3}{8} \times \frac{2}{3} \times 3\frac{3}{7}$

8 $1\frac{2}{13} \times 4\frac{1}{2} \times 1\frac{4}{9}$

9 $2\frac{1}{5} \times 1\frac{2}{13} \times \frac{3}{11}$

10 $\frac{9}{14} \times \frac{3}{5} \times 2\frac{2}{27}$

11 $3\frac{9}{10} \times \frac{5}{8} \times \frac{25}{26}$

12 $10\frac{2}{7} \times 1\frac{2}{3} \times 2\frac{9}{20}$

2

분수의 곱셈

☀ 그림을 보고 □ 안에 알맞은 수를 써넣으시오. [1~2]

$\cdot \dfrac{\blacksquare}{\blacktriangle} \times 3 = \dfrac{\blacksquare}{\blacktriangle} + \dfrac{\blacksquare}{\blacktriangle} + \dfrac{\blacksquare}{\blacktriangle}$

$= \dfrac{\blacksquare \times 3}{\blacktriangle}$

1

$\Rightarrow \dfrac{5}{8} \times 3 = \dfrac{5}{8} + \dfrac{5}{8} + \dfrac{5}{8} = \dfrac{\boxed{}}{8} = \boxed{}$

2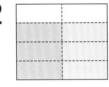

$\Rightarrow \dfrac{3}{4} \times \dfrac{1}{2} = \dfrac{\boxed{} \times 1}{4 \times 2} = \boxed{}$

· 분모는 분모끼리, 분자는 분자끼리 곱합니다.

3 계산해 보시오.

(1) $1\dfrac{7}{12} \times 15$

(2) $\dfrac{1}{5} \times \dfrac{1}{15} \times \dfrac{1}{3}$

(3) $\dfrac{2}{5} \times 3\dfrac{1}{6} \times \dfrac{4}{5}$

대분수가 있는 세 분수의 곱셈은 먼저 대분수를 가분수로 바꿔.

☀ 직사각형의 넓이를 구하시오. [4~5]

4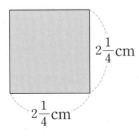

$2\dfrac{1}{4}$ cm

$2\dfrac{1}{4}$ cm

(   )

5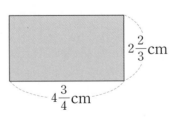

$2\dfrac{2}{3}$ cm

$4\dfrac{3}{4}$ cm

(   )

· (정사각형의 넓이)
  =(한 변의 길이)
  ×(한 변의 길이)
· (직사각형의 넓이)
  =(가로)×(세로)

6 계산 결과를 비교하여 ○ 안에 >, =, <를 알맞게 써넣으시오.

$$\frac{4}{5} \times \frac{2}{3} \qquad \bigcirc \qquad \frac{5}{8} \times \frac{3}{4}$$

· 계산한 결과의 분모가 서로 다르면 통분하여 크기를 비교합니다.

7 잘못 계산된 식을 찾아 바르게 계산해 보시오.

$$\bigcirc \; 2\frac{5}{\overset{\scriptscriptstyle 3}{6}} \times \overset{\scriptscriptstyle 1}{\cancel{3}} = 2\frac{5}{2} = 4\frac{1}{2}$$

$$\bigcirc \; 1\frac{5}{12} \times 4 = \frac{17}{\underset{3}{\cancel{12}}} \times \overset{\scriptscriptstyle 1}{\cancel{4}} = \frac{17}{3} = 5\frac{2}{3}$$

· 대분수를 가분수로 바꾸거나, 자연수 부분과 분수 부분으로 나누어 곱합니다.

[잘못 계산된 식] _____

[바르게 계산하기] _____

8 준하는 물을 어제 $1\frac{5}{9}$ L 마셨고, 오늘은 어제 마신 물의 $\frac{5}{7}$만큼 마셨습니다. 준하가 오늘 마신 물은 몇 L입니까?

(   )

●의 ▲배
⇨ ● × ▲

9 민주와 경미는 밭을 일구었습니다. 민주는 1시간에 $2\frac{1}{3}$이랑을 일구고, 경미는 1시간에 $1\frac{4}{5}$이랑을 일구었습니다. 두 사람이 일을 1시간 30분 동안 했다면 두 사람이 일군 밭은 모두 몇 이랑입니까?

(   )

· 1시간 30분
＝1시간＋$\frac{1}{2}$시간
＝$1\frac{1}{2}$시간

QR 코드를 찍어 보세요.

[문제 생성기] 새로운 문제를 계속 풀 수 있어요.

2
분수의 곱셈

3 합동과 대칭

제3화 비빅이 만든 선대칭 모양의 표지판 열쇠고리

신난다!

우~

무슨 좋은 일 있어?

학원 선생님이 공부 열심히 했다고 열쇠고리를 주셨어.

나도 저번 시험 잘 봤다고 주셨어.

어? 나하고 똑같은 거네.

정말 똑같은 거다.

합동이네.

합동?

모양과 크기가 같아서 포개었을 때 완전히 겹치는 두 도형을 서로 합동이라고 해.

어? 그럼 합동 아니야!

엥? 똑같은데······.

여기 봐. 여기 약간 흠집이 있어.

그건 뭐 묻은 거잖아!

배운 것 확인하기

1 각도

✳ 각도기를 이용하여 각도를 재어 보시오. [1~2]

1

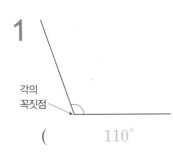

각의 꼭짓점

(110°)

각도기의 중심을 각의 꼭짓점에 맞추고, 각도기의 밑금을 각의 한 변에 맞춘 다음 나머지 변이 닿는 눈금을 읽어 봐.

2

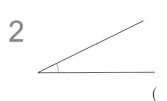

( )

✳ 각도기와 자를 이용하여 주어진 각도의 각을 그려 보시오. [3~4]

3 45°

4 120°

2 각도의 합과 차

✳ 각도의 합을 구하시오. [1~7]

1 $10° + 40° = 50°$

각도의 합과 차는 자연수의 덧셈, 뺄셈과 같은 방법으로 계산한 다음 °를 붙여.

2 $35° + 30°$

5 $75° + 90°$

3 $145° + 30°$

6 $60° + 45°$

4 $42° + 37°$

7 $35° + 35°$

✳ 각도의 차를 구하시오. [8~15]

8 $40° - 30°$

12 $160° - 110°$

9 $175° - 100°$

13 $95° - 40°$

10 $80° - 55°$

14 $150° - 55°$

11 $94° - 28°$

15 $64° - 31°$

③ 삼각형의 세 각의 크기의 합, 사각형의 네 각의 크기의 합

☀ □ 안에 알맞은 수를 써넣으시오.

1
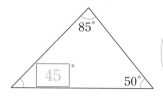

삼각형의 세 각의 크기의 합은 180°, 사각형의 네 각의 크기의 합은 360°야.

2
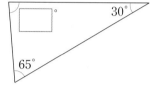

3
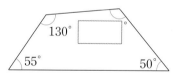

4
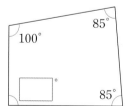

5
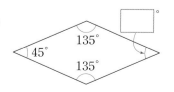

④ 평면도형의 이동

☀ 주어진 도형을 오른쪽으로 밀었을 때의 도형을 그려 보시오. [1~2]

밀었을 때에는 모양이 바뀌지 않아.

1
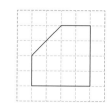
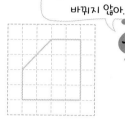

2
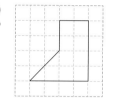

☀ 주어진 도형을 아래쪽으로 뒤집었을 때의 도형을 그려 보시오. [3~4]

3

4
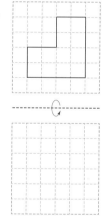

☀ 주어진 도형을 시계 방향으로 90°만큼 돌렸을 때의 도형을 그려 보시오. [5~6]

5
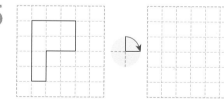

6
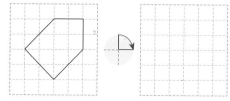

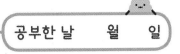

☀ 왼쪽 도형과 서로 합동인 도형을 찾아 ◯표 하시오.

1

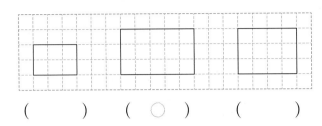

(   )   (◯)   (   )

2

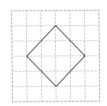
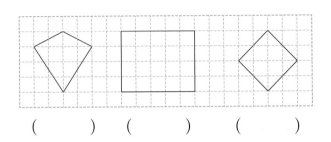

(   )   (   )   (   )

3

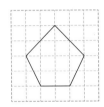
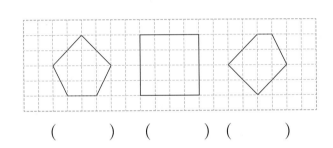

(   )   (   )   (   )

4

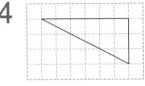
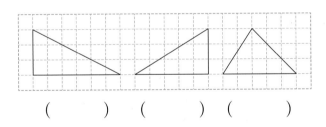

(   )   (   )   (   )

5

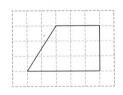
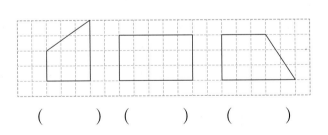

(   )   (   )   (   )

6

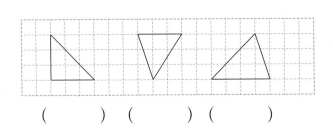

(   )   (   )   (   )

☀ 주어진 도형과 서로 합동인 도형을 그려 보시오.

1
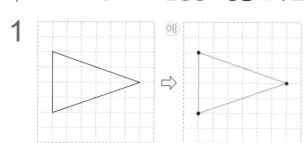

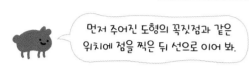
먼저 주어진 도형의 꼭짓점과 같은
위치에 점을 찍은 뒤 선으로 이어 봐.

5
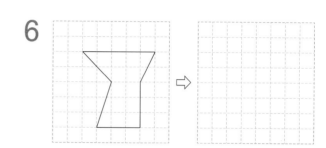

2
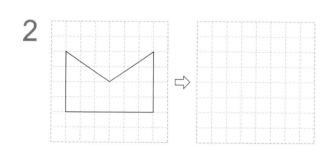

6
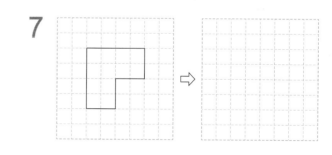

3
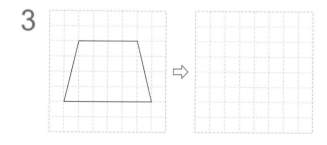

7
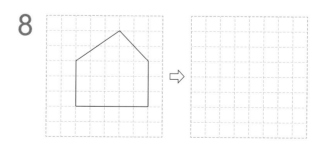

3

합동과 대칭

4
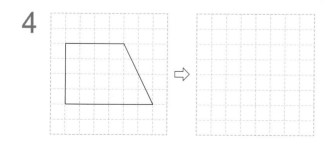

8

☀ 종이를 잘라서 서로 합동인 도형 2개로 만들어 보시오.

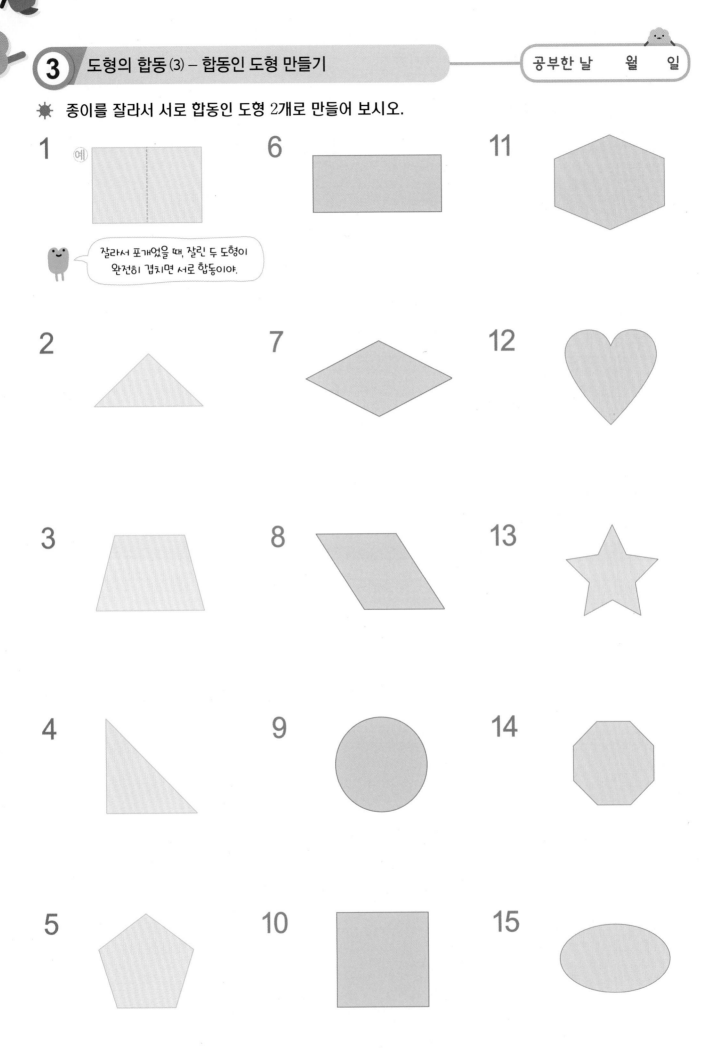

1 (예)

2

3

4

5

6

7

8

9

10

11

12

13

14

15

잘라서 포개었을 때, 잘린 두 도형이
완전히 겹치면 서로 합동이야.

☀ 두 사각형은 서로 합동입니다. 물음에 답하시오. [1~3]

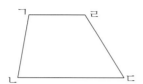 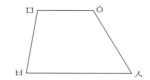

1 대응점을 찾아 쓰시오.

점 ㄱ과 (점 ㅁ), 점 ㄴ과 ( ),

점 ㄷ과 ( ), 점 ㄹ과 ( )

> 서로 합동인 두 도형을 포개었을 때 완전히 겹치는 점을 대응점, 겹치는 변을 대응변, 겹치는 각을 대응각이라고 해.

2 대응변을 찾아 쓰시오.

변 ㄱㄴ과 (변 ㅁㅂ), 변 ㄴㄷ과 ( ),

변 ㄷㄹ과 ( ), 변 ㄹㄱ과 ( )

3 대응각을 찾아 쓰시오.

각 ㄱㄴㄷ과 (각 ㅁㅂㅅ), 각 ㄴㄷㄹ과 ( ),

각 ㄷㄹㄱ과 ( ), 각 ㄹㄱㄴ과 ( )

☀ 두 삼각형은 서로 합동입니다. 물음에 답하시오. [4~6]

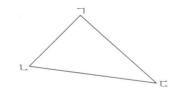 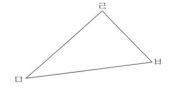

4 대응점을 찾아 쓰시오.

점 ㄱ과 ( ), 점 ㄴ과 ( ), 점 ㄷ과 ( )

5 대응변을 찾아 쓰시오.

변 ㄱㄴ과 ( ), 변 ㄴㄷ과 ( ), 변 ㄷㄱ과 ( )

6 대응각을 찾아 쓰시오.

각 ㄱㄴㄷ과 ( ), 각 ㄴㄷㄱ과 ( ), 각 ㄷㄱㄴ과 ( )

☀ 두 도형은 서로 합동입니다. ☐ 안에 알맞은 수를 써넣으시오.

1

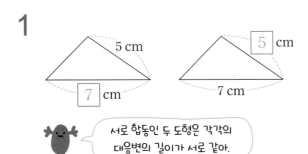

서로 합동인 두 도형은 각각의 대응변의 길이가 서로 같아.

2

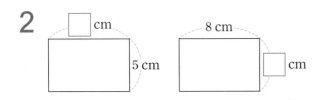

3

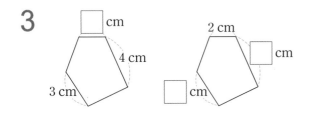

4

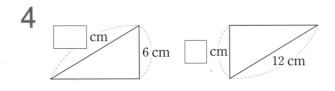

5

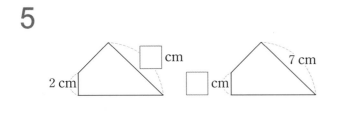

6

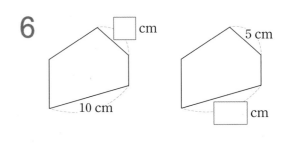

7

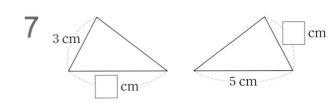

8

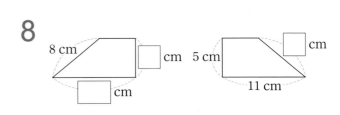

9

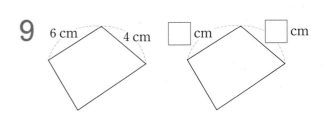

10

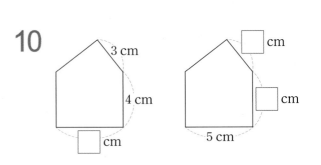

☀ 두 도형은 서로 합동입니다. □ 안에 알맞은 수를 써넣으시오.

1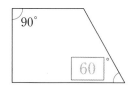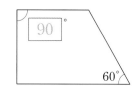

 서로 합동인 두 도형은 각각의 대응각의 크기가 서로 같아. 대응각을 잘 찾아봐.

2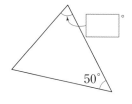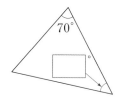

3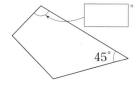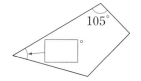

4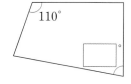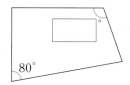

5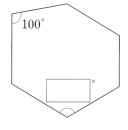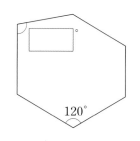

6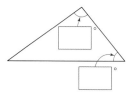

7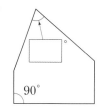

8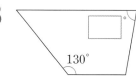

9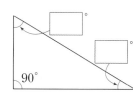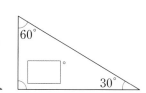

10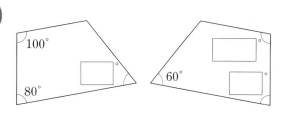

☀ 두 도형은 서로 합동입니다. ☐ 안에 알맞은 수를 써넣으시오. [1 ~ 10]

1

삼각형의 세 각의 크기의 합은 180°인 것을 이용해서 문제를 해결해.

6

2

사각형의 네 각의 크기의 합은 360°인 것을 이용해.

7

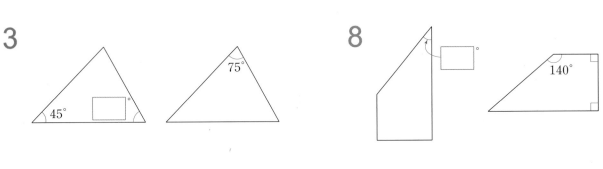

3

8

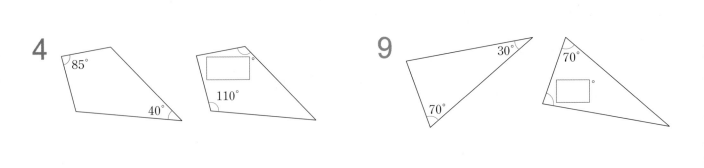

4

9

5

10

☀ 선대칭도형이면 ○표, 아니면 ×표 하시오. [1~9]

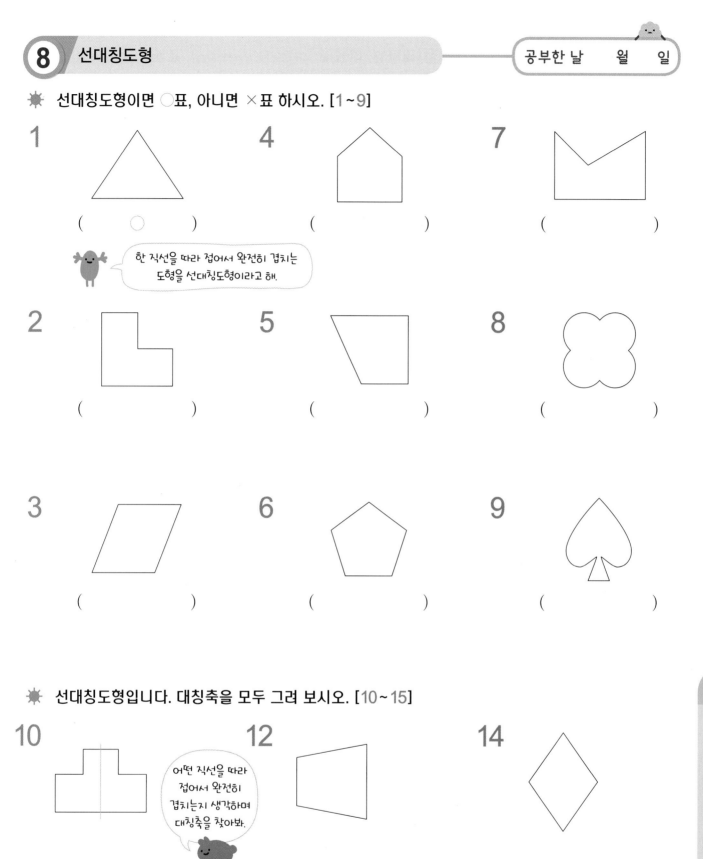

1 　(○)

한 직선을 따라 접어서 완전히 겹치는 도형을 선대칭도형이라고 해.

4 　( )

7 　( )

2 　( )

5 　( )

8 　( )

3 　( )

6 　( )

9 　( )

☀ 선대칭도형입니다. 대칭축을 모두 그려 보시오. [10~15]

10

어떤 직선을 따라 접어서 완전히 겹치는지 생각하며 대칭축을 찾아봐.

12

14

11

13

15

☀ 선대칭도형을 보고 물음에 답하시오. [1~3]

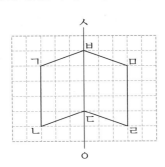

선대칭도형을 대칭축을 따라 포개었을 때 겹치는 점을 대응점, 겹치는 변을 대응변, 겹치는 각을 대응각이라고 해.

1 대응점을 찾아 쓰시오.

점 ㄱ과 (점 ㅁ   ), 점 ㄴ과 (   )

2 대응변을 찾아 쓰시오.

변 ㄱㄴ과 (변 ㅁㄹ   ), 변 ㄴㄷ과 (   ), 변 ㄱㅂ과 (   )

3 대응각을 찾아 쓰시오.

각 ㄱㄴㄷ과 (각 ㅁㄹㄷ   ), 각 ㄴㄱㅂ과 (   )

☀ 선대칭도형을 보고 물음에 답하시오. [4~6]

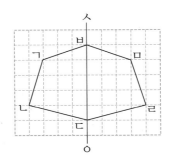

4 대응점을 찾아 쓰시오.

점 ㄱ과 (   ), 점 ㄴ과 (   )

5 대응변을 찾아 쓰시오.

변 ㄱㄴ과 (   ), 변 ㄴㄷ과 (   ), 변 ㄱㅂ과 (   )

6 대응각을 찾아 쓰시오.

각 ㄱㄴㄷ과 (   ), 각 ㄴㄱㅂ과 (   )

☀ 직선 ㄱㄴ을 대칭축으로 하는 선대칭도형입니다. □ 안에 알맞은 수를 써넣으시오.

1
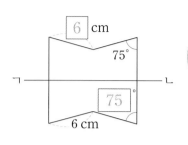

선대칭도형에서 각각의 대응변의 길이가 서로 같고, 각각의 대응각의 크기가 서로 같아.

6
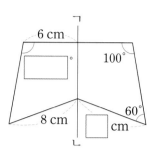

2
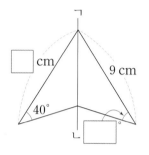

7
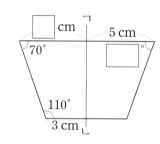

3
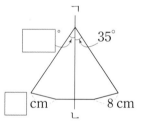

8
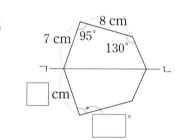

4
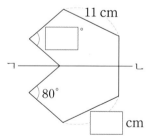

9
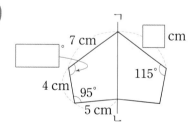

5
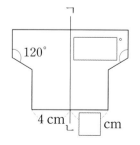

10
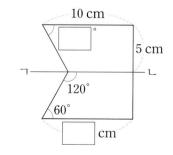

☀ 선대칭도형이 되도록 그림을 완성하시오.

1
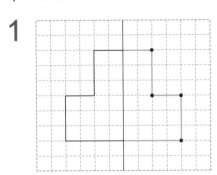

각 점의 대응점을 찾아 표시하고, 대응점을 연결하여 완성해.

5
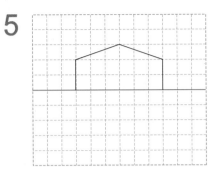

2
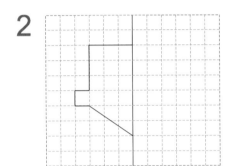

6
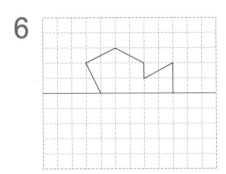

3
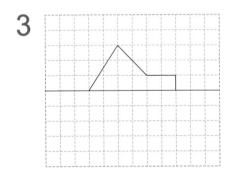

7
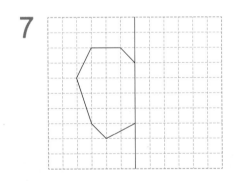

4
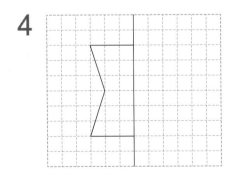

8
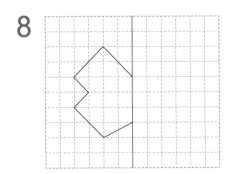

※ 점대칭도형이면 ◯표, 아니면 ×표 하시오. [1~9]

1
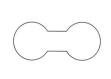
(◯   )

어떤 점을 중심으로 180° 돌렸을 때
처음 도형과 완전히 겹치는 도형을 찾아봐.

4
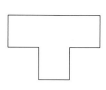
(   )

7
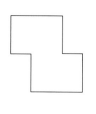
(   )

2

(   )

5

(   )

8

(   )

3

(   )

6

(   )

9
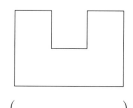
(   )

※ 점대칭도형입니다. 대칭의 중심을 찾아 표시하시오. [10~15]

10
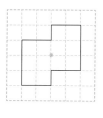

점대칭도형에서
대칭의 중심은
1개뿐이야.

12
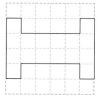

14
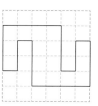

11
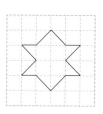

13
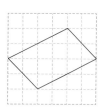

15
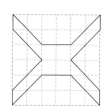

3

합동과 대칭

☀ 점대칭도형을 보고 물음에 답하시오. [1~3]

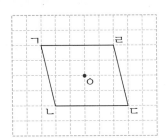

대응변이나
대응각을 쓸 때는 각 점의
대응점을 찾아 기호를
차례대로 나타내도록 해.

1 대응점을 찾아 쓰시오.

점 ㄱ과 (　　점 ㄷ　　), 점 ㄴ과 (　　　　　　　　　　)

2 대응변을 찾아 쓰시오.

변 ㄱㄴ과 (　　변 ㄷㄹ　　), 변 ㄴㄷ과 (　　　　　　　　　)

3 대응각을 찾아 쓰시오.

각 ㄱㄴㄷ과 (　　각 ㄷㄹㄱ　　), 각 ㄴㄷㄹ과 (　　　　　　　)

☀ 점대칭도형을 보고 물음에 답하시오. [4~6]

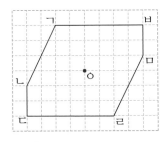

4 대응점을 찾아 쓰시오.

점 ㄱ과 (　　　　　　　　), 점 ㄴ과 (　　　　　　　　),
점 ㄷ과 (　　　　　　　　)

5 대응변을 찾아 쓰시오.

변 ㄱㄴ과 (　　　　　　　), 변 ㄴㄷ과 (　　　　　　　),
변 ㄷㄹ과 (　　　　　　　)

6 대응각을 찾아 쓰시오.

각 ㄱㄴㄷ과 (　　　　　　), 각 ㄴㄷㄹ과 (　　　　　　),
각 ㄷㄹㅁ과 (　　　　　　)

☀ 점 ○을 대칭의 중심으로 하는 점대칭도형입니다. □ 안에 알맞은 수를 써넣으시오.

1
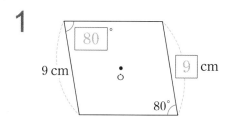

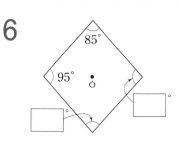
점대칭도형에서 대응변의 길이와 대응각의 크기는 각각 같아.

6
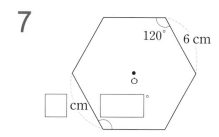

2
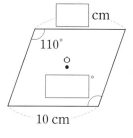

7
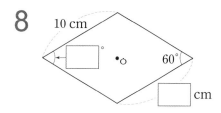

3
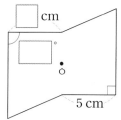

8
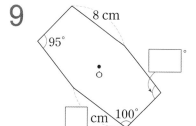

4
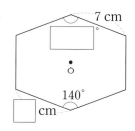

9
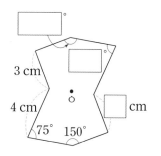

5
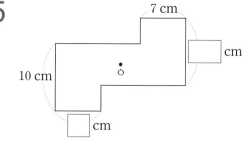

10

3

합동과 대칭

☀ 점대칭도형이 되도록 그림을 완성하시오.

1
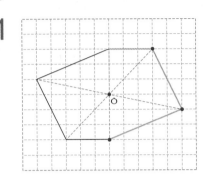

각 점에서 대칭의 중심까지의 거리와 같도록 대응점을 찍고 대응점을 연결하여 완성해.

5

2

6
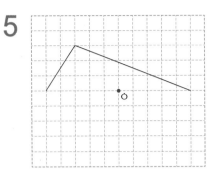

3

7
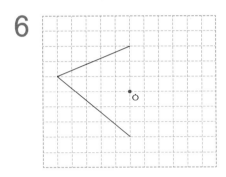

4

8
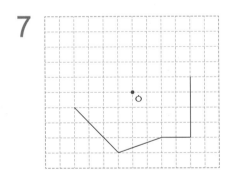

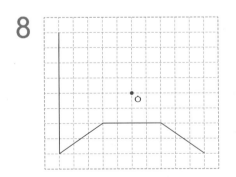

☀ 직선 ㄱㄴ을 대칭축으로 하는 선대칭도형입니다. 선대칭도형의 둘레를 구하시오. [1~4]

1

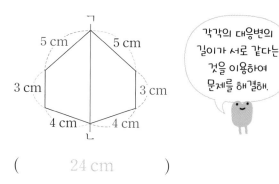

(24 cm   )

3

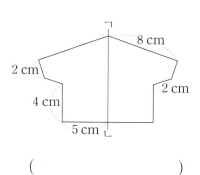

(   )

2

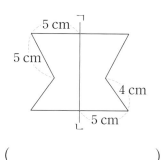

(   )

4

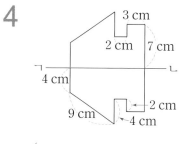

(   )

☀ 점 ㅇ을 대칭의 중심으로 하는 점대칭도형입다. 점대칭도형의 둘레를 구하시오. [5~8]

5

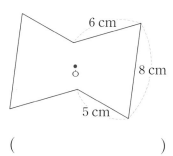

(   )

7

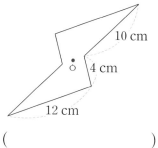

(   )

6

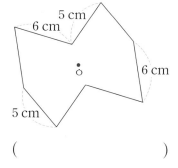

(   )

8

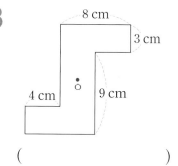

(   )

1 오른쪽과 같이 종이 2장을 포개어 놓고 도형을 오렸을 때 오린 두 도형의 모양과 크기가 똑같습니다. 이러한 두 도형의 관계를 무엇이라고 합니까?

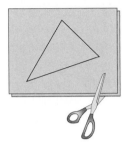

( )

모양과 크기가 같아서 포개었을 때 완전히 겹치는 두 도형을 서로 합동이라고 해.

2 두 도형은 서로 합동입니다. 대응변, 대응각이 각각 몇 쌍 있는지 쓰시오.

대응변: ☐ 쌍

대응각: ☐ 쌍

• 서로 합동인 두 도형을 포개었을 때 완전히 겹치는 변을 대응변, 겹치는 각을 대응각이라고 합니다.

☀ 그림을 보고 물음에 답하시오. [3~4]

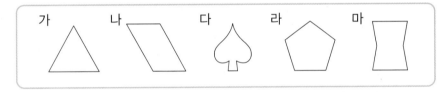

가   나   다   라   마

3 선대칭도형을 모두 찾아 기호를 쓰시오.

( )

• 선대칭도형: 한 직선을 따라 접어서 완전히 겹치는 도형

4 점대칭도형을 모두 찾아 기호를 쓰시오.

( )

• 점대칭도형: 어떤 점을 중심으로 180° 돌렸을 때 처음 도형과 완전히 겹치는 도형

5 두 삼각형은 서로 합동입니다. ☐ 안에 알맞은 수를 써넣으시오.

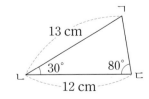 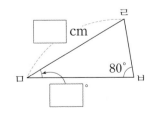

• 서로 합동인 두 도형의 성질
① 각각의 대응변의 길이가 서로 같습니다.
② 각각의 대응각의 크기가 서로 같습니다.

6 오른쪽 도형은 선대칭도형입니다. 대칭축을 그려 보시오.

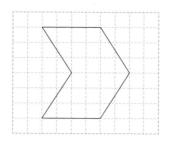

• 접어서 완전히 겹치게 하는 직선을 찾습니다.

7 선대칭도형이 되도록 그림을 완성하시오.

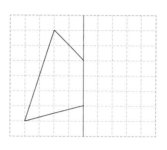

• 각각의 대응점을 찾아 차례로 이어 선대칭도형을 완성합니다.

✸ 오른쪽은 점 ㅇ을 대칭의 중심으로 하는 점대칭도형입니다. 물음에 답하시오.
[8~9]

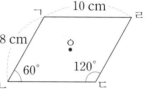

각 ㄱㄹㄷ의 대응각은 무엇인지 찾아봐.

8 각 ㄱㄹㄷ은 몇 도입니까?

( )

9 점대칭도형의 둘레는 몇 cm입니까?

( )

• 점대칭도형에서 각각의 대응 변의 길이가 서로 같습니다.

10 점대칭도형이 되도록 그림을 완성하시오.

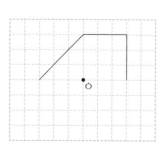

• 각각의 대응점을 찾아 차례로 이어 점대칭도형을 완성합니다.

QR 코드를 찍어 보세요.
문제 생성기 새로운 문제를 계속 풀 수 있어요.

3

합동과 대칭

4 소수의 곱셈

제4화 속마음까지 꿰뚫어 보는 비빅의 능력

랄랄라~

로봇 비빅이 오늘은 기분이 좋아보인다.

응. 박사님이 내가 마실 수 있는 주스를 만들어 주셨거든.

정말? 넌 주스 같은 거 못 마셨잖아.

맞아. 그래서 아빠가 특별히 만들어 주셨어.

이게 바로 로봇이 마실 수 있는 주스!!

축하해~

하루에 0.2 L씩 6일 동안 마실 수 있어.

그럼 모두 몇 L인 거지?

계산하는 방법은 여러 가지가 있지.

① 덧셈식으로 계산하기

$$0.2 \times 6 = 0.2 + 0.2 + 0.2 + 0.2 + 0.2 + 0.2 = 1.2$$

② 분수의 곱셈으로 계산하기

$$0.2 \times 6 = \frac{2}{10} \times 6 = \frac{2 \times 6}{10} = \frac{12}{10} = 1.2$$

나도 한번 맛 좀 봐도 될까?

오일이라 사람이 마시면 안 돼.

근데 양손에 들고 있는 건 뭐니?

땅콩 사 가지고 오는 중이야.

곱하는 수의 0이 하나씩 늘어날 때마다 곱의 소수점을 오른쪽으로 한 칸씩 옮겨.

$$3.27 \times 100 = 327$$
0이 2개

$$3.27 \times 1000 = 3270$$
0이 3개

1 분수와 소수의 관계

✹ 분수를 소수로, 소수를 분수로 나타내어 보시오.

1 $\frac{2}{5} = 0.4$

$\frac{2}{5} = \frac{2 \times 2}{5 \times 2} = \frac{4}{10} = 0.4$

> 분수를 소수로 나타낼 때에는 먼저 분모가 10, 100, 1000……인 분수로 나타내.

2 $\frac{47}{50}$

8 0.95

3 $9\frac{1}{5}$

9 0.49

4 $\frac{121}{200}$

10 0.09

5 $\frac{73}{125}$

11 4.1

6 $12\frac{107}{500}$

12 2.39

7 $3\frac{11}{20}$

13 3.44

2 분수와 소수의 크기 비교

✹ 두 수의 크기를 비교하여 ○ 안에 >, =, <를 알맞게 써넣으시오.

1 $0.8 \; \bigodot{>} \; \frac{1}{5}$

$\frac{1}{5} = 0.2 \Rightarrow 0.8 > 0.2$

> 분수를 소수로 나타내어 소수끼리 비교하거나, 소수를 분수로 나타내어 분수끼리 비교해.

2 $\frac{3}{4} \; \bigcirc \; 0.81$

3 $0.39 \; \bigcirc \; \frac{7}{20}$

4 $3\frac{23}{50} \; \bigcirc \; 3.52$

5 $3\frac{17}{25} \; \bigcirc \; 3.59$

6 $5\frac{31}{50} \; \bigcirc \; 5.57$

7 $2.2 \; \bigcirc \; 2\frac{3}{5}$

8 $1\frac{19}{25} \; \bigcirc \; 1.74$

3 소수의 덧셈과 뺄셈

☀ 계산해 보시오.

1
$$\begin{array}{r} 4.2\ 5 \\ +\ 6.3 \\ \hline 10.5\ 5 \end{array}$$

소수점의 위치를 맞추어 쓰고 자연수처럼 계산한 뒤 소수점을 찍어.

2
$$\begin{array}{r} 2.5\ 6 \\ +\ 0.1\ 6 \\ \hline \end{array}$$

8
$$\begin{array}{r} 5.0\ 4 \\ -\ 3.1\ 2 \\ \hline \end{array}$$

3
$$\begin{array}{r} 1.8 \\ +\ 1\ 0.9\ 6 \\ \hline \end{array}$$

9
$$\begin{array}{r} 1\ 4.7 \\ -\ 2.8\ 4 \\ \hline \end{array}$$

4
$$\begin{array}{r} 0.4\ 0\ 8 \\ +\ 2.0\ 8 \\ \hline \end{array}$$

10
$$\begin{array}{r} 8.2\ 4 \\ -\ 2.5\ 7 \\ \hline \end{array}$$

5
$$\begin{array}{r} 0.0\ 4 \\ +\ 0.0\ 2\ 5 \\ \hline \end{array}$$

11
$$\begin{array}{r} 6.9\ 4 \\ -\ 0.4\ 7\ 5 \\ \hline \end{array}$$

6
$$\begin{array}{r} 2.8\ 9 \\ +\ 3.5 \\ \hline \end{array}$$

12
$$\begin{array}{r} 1\ 0.2\ 4 \\ -\ \ \ 2.0\ 9 \\ \hline \end{array}$$

7
$$\begin{array}{r} 1.7 \\ +\ 5.8\ 6 \\ \hline \end{array}$$

13
$$\begin{array}{r} 6.0\ 3 \\ -\ 2.8\ 5 \\ \hline \end{array}$$

4 분수의 곱셈

☀ 계산해 보시오.

1 $\dfrac{1}{7} \times \dfrac{1}{3} = \dfrac{1}{21}$

$\dfrac{1}{7} \times \dfrac{1}{3} = \dfrac{1 \times 1}{7 \times 3} = \dfrac{1}{21}$

분모는 분모끼리, 분자는 분자끼리 곱해. 대분수는 반드시 가분수로 바꾸어 계산해.

2 $\dfrac{1}{6} \times \dfrac{1}{4}$

8 $15 \times \dfrac{1}{4}$

3 $2\dfrac{3}{4} \times 12$

9 $\dfrac{5}{6} \times \dfrac{4}{9}$

4 $3\dfrac{3}{8} \times 2$

10 $1\dfrac{3}{5} \times 3\dfrac{5}{8}$

5 $1\dfrac{5}{16} \times 8$

11 $2\dfrac{2}{9} \times 3\dfrac{3}{4}$

6 $\dfrac{3}{16} \times \dfrac{8}{9}$

12 $40 \times \dfrac{17}{35}$

7 $2\dfrac{2}{5} \times 1\dfrac{5}{6}$

13 $12 \times 3\dfrac{1}{8}$

☀ 소수를 분수로 나타내어 계산해 보시오.

1 $0.7 \times 6 = \dfrac{\boxed{7}}{10} \times 6 = \dfrac{\boxed{7} \times 6}{10} = \dfrac{\boxed{42}}{10} = \boxed{4.2}$

$0.7 = \dfrac{7}{10}$ 이니까……

2 $0.6 \times 4 = \dfrac{\square}{10} \times 4 = \dfrac{\square \times 4}{10}$
$= \dfrac{\square}{10} = \square$

7 $0.9 \times 6 = \dfrac{\square}{10} \times 6 = \dfrac{\square \times 6}{10}$
$= \dfrac{\square}{10} = \square$

3 $0.2 \times 7 = \dfrac{\square}{10} \times 7 = \dfrac{\square \times 7}{10}$
$= \dfrac{\square}{10} = \square$

8 $0.7 \times 5 = \dfrac{\square}{10} \times 5 = \dfrac{\square \times 5}{10}$
$= \dfrac{\square}{10} = \square$

4 $0.9 \times 3 = \dfrac{\square}{10} \times 3 = \dfrac{\square \times 3}{10}$
$= \dfrac{\square}{10} = \square$

9 $0.4 \times 8 = \dfrac{\square}{10} \times 8 = \dfrac{\square \times 8}{10}$
$= \dfrac{\square}{10} = \square$

5 $0.2 \times 14 = \dfrac{\square}{10} \times 14 = \dfrac{\square \times 14}{10}$
$= \dfrac{\square}{10} = \square$

10 $0.6 \times 12 = \dfrac{\square}{10} \times 12 = \dfrac{\square \times 12}{10}$
$= \dfrac{\square}{10} = \square$

6 $0.5 \times 6 = \dfrac{\square}{10} \times 6 = \dfrac{\square \times 6}{10}$
$= \dfrac{\square}{10} = \square$

11 $0.3 \times 15 = \dfrac{\square}{10} \times 15 = \dfrac{\square \times 15}{10}$
$= \dfrac{\square}{10} = \square$

☀ 계산해 보시오. [1~9]

1
```
    0.7
  ×   4
    2.8
```

곱해지는 수가
$\frac{1}{10}$ 배가 되면
계산 결과도 $\frac{1}{10}$ 배가 돼.

$$7 \xrightarrow{\frac{1}{10}\text{ 배}} 0.7$$
$$\times 4 \qquad \times 4$$
$$28 \xrightarrow{\frac{1}{10}\text{ 배}} 2.8$$

2
```
    0.9
  ×   9
```

3
```
    0.2
  ×   6
```

4
```
    0.7
  ×   7
```

5
```
    0.7
  ×   8
```

6
```
    0.4
  ×   5
```

7
```
    0.5
  ×   9
```

8
```
    0.8
  ×   3
```

9
```
    0.7
  ×   2
```

☀ 계산해 보시오. [10~21]

10 0.3×7

11 0.2×9

12 0.3×3

13 0.4×6

14 0.5×4

15 0.9×2

16 0.5×8

17 0.8×4

18 0.6×7

19 0.8×6

20 0.6×6

21 0.3×5

4

소수의 곱셈

☀ 소수를 분수로 나타내어 계산해 보시오.

1 $0.17 \times 3 = \dfrac{\boxed{17}}{100} \times 3 = \dfrac{\boxed{17} \times 3}{100} = \dfrac{\boxed{51}}{100} = \boxed{0.51}$

소수 두 자리 수는 분모가 100인 분수로 나타낼 수 있어.

2 $0.54 \times 2 = \dfrac{\boxed{}}{100} \times 2 = \dfrac{\boxed{} \times 2}{100}$
$= \dfrac{\boxed{}}{100} = \boxed{}$

7 $0.04 \times 20 = \dfrac{\boxed{}}{100} \times 20 = \dfrac{\boxed{} \times 20}{100}$
$= \dfrac{\boxed{}}{100} = \boxed{}$

3 $0.07 \times 8 = \dfrac{\boxed{}}{100} \times 8 = \dfrac{\boxed{} \times 8}{100}$
$= \dfrac{\boxed{}}{100} = \boxed{}$

8 $0.92 \times 4 = \dfrac{\boxed{}}{100} \times 4 = \dfrac{\boxed{} \times 4}{100}$
$= \dfrac{\boxed{}}{100} = \boxed{}$

4 $0.85 \times 6 = \dfrac{\boxed{}}{100} \times 6 = \dfrac{\boxed{} \times 6}{100}$
$= \dfrac{\boxed{}}{100} = \boxed{}$

9 $0.63 \times 7 = \dfrac{\boxed{}}{100} \times 7 = \dfrac{\boxed{} \times 7}{100}$
$= \dfrac{\boxed{}}{100} = \boxed{}$

5 $0.28 \times 9 = \dfrac{\boxed{}}{100} \times 9 = \dfrac{\boxed{} \times 9}{100}$
$= \dfrac{\boxed{}}{100} = \boxed{}$

10 $0.09 \times 8 = \dfrac{\boxed{}}{100} \times 8 = \dfrac{\boxed{} \times 8}{100}$
$= \dfrac{\boxed{}}{100} = \boxed{}$

6 $0.33 \times 3 = \dfrac{\boxed{}}{100} \times 3 = \dfrac{\boxed{} \times 3}{100}$
$= \dfrac{\boxed{}}{100} = \boxed{}$

11 $0.41 \times 5 = \dfrac{\boxed{}}{100} \times 5 = \dfrac{\boxed{} \times 5}{100}$
$= \dfrac{\boxed{}}{100} = \boxed{}$

4 (1보다 작은 소수 두 자리 수)×(자연수) ②

☀ 계산해 보시오. [1~9]

1
```
   0.4 8
×      5
─────────
   2.4 0
```

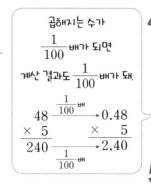

곱해지는 수가
$\frac{1}{100}$배가 되면
계산 결과도 $\frac{1}{100}$배가 돼.

$$48 \xrightarrow{\frac{1}{100}\text{배}} 0.48$$
$$\times\ 5 \qquad \times\ 5$$
$$240 \xrightarrow{\frac{1}{100}\text{배}} 2.40$$

2
```
   0.0 6
×      2
─────────
```

3
```
   0.8 2
×      7
─────────
```

4
```
   0.4 9
×      6
─────────
```

5
```
   0.2 8
×      4
─────────
```

6
```
   0.6 7
×      3
─────────
```

7
```
   0.7 4
×      9
─────────
```

8
```
   0.3 6
×      4
─────────
```

9
```
   0.5 1
×      7
─────────
```

☀ 계산해 보시오. [10~21]

10 0.93×4

11 0.78×7

12 0.51×5

13 0.09×14

14 0.89×2

15 0.65×4

16 0.02×5

17 0.73×6

18 0.54×8

19 0.46×3

20 0.29×5

21 0.75×6

4

소수의 곱셈

☀ 소수를 분수로 나타내어 계산해 보시오.

1 $2.3 \times 3 = \dfrac{\boxed{23}}{10} \times 3 = \dfrac{\boxed{23} \times 3}{10}$

$= \dfrac{\boxed{69}}{10} = \boxed{6.9}$

소수 ■.▲는 분수 $\dfrac{■▲}{10}$로 나타낼 수 있어.

2 $5.4 \times 3 = \dfrac{\boxed{}}{10} \times 3 = \dfrac{\boxed{} \times 3}{10}$

$= \dfrac{\boxed{}}{10} = \boxed{}$

3 $8.9 \times 4 = \dfrac{\boxed{}}{10} \times 4 = \dfrac{\boxed{} \times 4}{10}$

$= \dfrac{\boxed{}}{10} = \boxed{}$

4 $1.6 \times 7 = \dfrac{\boxed{}}{10} \times 7 = \dfrac{\boxed{} \times 7}{10}$

$= \dfrac{\boxed{}}{10} = \boxed{}$

5 $4.3 \times 8 = \dfrac{\boxed{}}{10} \times 8 = \dfrac{\boxed{} \times 8}{10}$

$= \dfrac{\boxed{}}{10} = \boxed{}$

6 $7.9 \times 2 = \dfrac{\boxed{}}{10} \times 2 = \dfrac{\boxed{} \times 2}{10}$

$= \dfrac{\boxed{}}{10} = \boxed{}$

7 $7.5 \times 4 = \dfrac{\boxed{}}{10} \times 4 = \dfrac{\boxed{} \times 4}{10}$

$= \dfrac{\boxed{}}{10} = \boxed{}$

8 $5.4 \times 9 = \dfrac{\boxed{}}{10} \times 9 = \dfrac{\boxed{} \times 9}{10}$

$= \dfrac{\boxed{}}{10} = \boxed{}$

9 $6.3 \times 5 = \dfrac{\boxed{}}{10} \times 5 = \dfrac{\boxed{} \times 5}{10}$

$= \dfrac{\boxed{}}{10} = \boxed{}$

10 $4.4 \times 2 = \dfrac{\boxed{}}{10} \times 2 = \dfrac{\boxed{} \times 2}{10}$

$= \dfrac{\boxed{}}{10} = \boxed{}$

11 $9.2 \times 5 = \dfrac{\boxed{}}{10} \times 5 = \dfrac{\boxed{} \times 5}{10}$

$= \dfrac{\boxed{}}{10} = \boxed{}$

12 $1.1 \times 7 = \dfrac{\boxed{}}{10} \times 7 = \dfrac{\boxed{} \times 7}{10}$

$= \dfrac{\boxed{}}{10} = \boxed{}$

☀ 계산해 보시오. [1~9]

1
```
   3.7
 ×   5
  1 8.5
```

37×5를 계산한 후 곱에 소수점을 찍어.

4
```
   4.2
 ×   4
```

7
```
   5.7
 ×   6
```

2
```
   5.7
 ×   4
```

5
```
   7.3
 ×   2
```

8
```
   9.4
 ×   3
```

3
```
   6.5
 ×   7
```

6
```
   2.6
 ×   8
```

9
```
   8.7
 ×   5
```

☀ 계산해 보시오. [10~21]

10　2.2×5

14　2.5×6

18　6.2×8

11　8.1×3

15　3.7×2

19　1.3×4

12　4.6×2

16　7.3×7

20　4.4×8

13　7.4×8

17　1.9×8

21　5.7×2

☀ 소수를 분수로 나타내어 계산해 보시오.

1 $1.92 \times 2 = \dfrac{\boxed{192}}{100} \times 2 = \dfrac{\boxed{192} \times 2}{100}$

$= \dfrac{\boxed{384}}{100} = \boxed{3.84}$

소수 ▲.■●는
분수 $\dfrac{▲■●}{100}$ 로
나타낼 수 있어.

7 $3.67 \times 6 = \dfrac{\boxed{}}{100} \times 6 = \dfrac{\boxed{} \times 6}{100}$

$= \dfrac{\boxed{}}{100} = \boxed{}$

2 $2.75 \times 3 = \dfrac{\boxed{}}{100} \times 3 = \dfrac{\boxed{} \times 3}{100}$

$= \dfrac{\boxed{}}{100} = \boxed{}$

8 $1.05 \times 2 = \dfrac{\boxed{}}{100} \times 2 = \dfrac{\boxed{} \times 2}{100}$

$= \dfrac{\boxed{}}{100} = \boxed{}$

3 $6.05 \times 5 = \dfrac{\boxed{}}{100} \times 5 = \dfrac{\boxed{} \times 5}{100}$

$= \dfrac{\boxed{}}{100} = \boxed{}$

9 $5.02 \times 4 = \dfrac{\boxed{}}{100} \times 4 = \dfrac{\boxed{} \times 4}{100}$

$= \dfrac{\boxed{}}{100} = \boxed{}$

4 $3.12 \times 4 = \dfrac{\boxed{}}{100} \times 4 = \dfrac{\boxed{} \times 4}{100}$

$= \dfrac{\boxed{}}{100} = \boxed{}$

10 $2.58 \times 6 = \dfrac{\boxed{}}{100} \times 6 = \dfrac{\boxed{} \times 6}{100}$

$= \dfrac{\boxed{}}{100} = \boxed{}$

5 $5.37 \times 2 = \dfrac{\boxed{}}{100} \times 2 = \dfrac{\boxed{} \times 2}{100}$

$= \dfrac{\boxed{}}{100} = \boxed{}$

11 $8.15 \times 3 = \dfrac{\boxed{}}{100} \times 3 = \dfrac{\boxed{} \times 3}{100}$

$= \dfrac{\boxed{}}{100} = \boxed{}$

6 $2.54 \times 7 = \dfrac{\boxed{}}{100} \times 7 = \dfrac{\boxed{} \times 7}{100}$

$= \dfrac{\boxed{}}{100} = \boxed{}$

12 $7.21 \times 5 = \dfrac{\boxed{}}{100} \times 5 = \dfrac{\boxed{} \times 5}{100}$

$= \dfrac{\boxed{}}{100} = \boxed{}$

☀ 계산해 보시오. [1~9]

1
```
  3.1 7
×     2
  6.3 4
```

자연수의 곱셈을 한 후
곱에 소수점을 찍어.

4
```
  1.1 4
×     6
```

7
```
  4.2 3
×     5
```

2
```
  3.1 4
×     2
```

5
```
  1.9 1
×     5
```

8
```
  4.2 2
×     2
```

3
```
  1.7 5
×     3
```

6
```
  2.5 7
×     2
```

9
```
  1.0 8
×     7
```

☀ 계산해 보시오. [10~21]

10 1.38×5

14 6.72×4

18 2.09×3

11 2.27×6

15 5.45×8

19 3.71×4

12 7.44×2

16 2.77×3

20 8.43×7

13 9.08×3

17 6.18×5

21 7.29×6

☀ 소수를 분수로 나타내어 계산해 보시오.

1 $4 \times 0.8 = 4 \times \dfrac{\boxed{8}}{10} = \dfrac{4 \times \boxed{8}}{10}$

$= \dfrac{\boxed{32}}{10} = \boxed{3.2}$

0.8을 $\dfrac{8}{10}$로 나타내어 분수의 곱셈으로 계산해 봐.

7 $7 \times 0.8 = 7 \times \dfrac{\boxed{}}{10} = \dfrac{7 \times \boxed{}}{10}$

$= \dfrac{\boxed{}}{10} = \boxed{}$

2 $7 \times 0.6 = 7 \times \dfrac{\boxed{}}{10} = \dfrac{7 \times \boxed{}}{10}$

$= \dfrac{\boxed{}}{10} = \boxed{}$

8 $3 \times 0.3 = 3 \times \dfrac{\boxed{}}{10} = \dfrac{3 \times \boxed{}}{10}$

$= \dfrac{\boxed{}}{10} = \boxed{}$

3 $9 \times 0.4 = 9 \times \dfrac{\boxed{}}{10} = \dfrac{9 \times \boxed{}}{10}$

$= \dfrac{\boxed{}}{10} = \boxed{}$

9 $15 \times 0.6 = 15 \times \dfrac{\boxed{}}{10} = \dfrac{15 \times \boxed{}}{10}$

$= \dfrac{\boxed{}}{10} = \boxed{}$

4 $2 \times 0.7 = 2 \times \dfrac{\boxed{}}{10} = \dfrac{2 \times \boxed{}}{10}$

$= \dfrac{\boxed{}}{10} = \boxed{}$

10 $5 \times 0.8 = 5 \times \dfrac{\boxed{}}{10} = \dfrac{5 \times \boxed{}}{10}$

$= \dfrac{\boxed{}}{10} = \boxed{}$

5 $6 \times 0.5 = 6 \times \dfrac{\boxed{}}{10} = \dfrac{6 \times \boxed{}}{10}$

$= \dfrac{\boxed{}}{10} = \boxed{}$

11 $9 \times 0.5 = 9 \times \dfrac{\boxed{}}{10} = \dfrac{9 \times \boxed{}}{10}$

$= \dfrac{\boxed{}}{10} = \boxed{}$

6 $11 \times 0.2 = 11 \times \dfrac{\boxed{}}{10} = \dfrac{11 \times \boxed{}}{10}$

$= \dfrac{\boxed{}}{10} = \boxed{}$

12 $21 \times 0.7 = 21 \times \dfrac{\boxed{}}{10} = \dfrac{21 \times \boxed{}}{10}$

$= \dfrac{\boxed{}}{10} = \boxed{}$

✹ 계산해 보시오. [1~9]

1
$$\begin{array}{r} 6 \\ \times\,0.7 \\ \hline 4.2 \end{array}$$

곱하는 수가 $\frac{1}{10}$배가 되면 계산 결과도 $\frac{1}{10}$배가 돼. $6\times7=42$니까 6×0.7은……

4
$$\begin{array}{r} 4 \\ \times\,0.9 \\ \hline \end{array}$$

7
$$\begin{array}{r} 9 \\ \times\,0.7 \\ \hline \end{array}$$

2
$$\begin{array}{r} 4 \\ \times\,0.3 \\ \hline \end{array}$$

5
$$\begin{array}{r} 3 \\ \times\,0.7 \\ \hline \end{array}$$

8
$$\begin{array}{r} 8 \\ \times\,0.7 \\ \hline \end{array}$$

3
$$\begin{array}{r} 1\,3 \\ \times\,0.4 \\ \hline \end{array}$$

6
$$\begin{array}{r} 3\,0 \\ \times\,0.5 \\ \hline \end{array}$$

9
$$\begin{array}{r} 2\,4 \\ \times\,0.6 \\ \hline \end{array}$$

✹ 계산해 보시오. [10~21]

10 2×0.8

14 5×0.7

18 8×0.8

11 5×0.4

15 12×0.9

19 3×0.5

12 19×0.5

16 6×0.4

20 53×0.2

13 7×0.7

17 8×0.2

21 9×0.8

4 소수의 곱셈

☀ 소수를 분수로 나타내어 계산해 보시오.

1 $8 \times 0.12 = 8 \times \dfrac{\boxed{12}}{100} = \dfrac{8 \times \boxed{12}}{100}$

$= \dfrac{\boxed{96}}{100} = \boxed{0.96}$

소수 0.▲■는 분수 $\dfrac{▲■}{100}$로 나타내어 계산할 수 있어.

7 $6 \times 0.82 = 6 \times \dfrac{\boxed{}}{100} = \dfrac{6 \times \boxed{}}{100}$

$= \dfrac{\boxed{}}{100} = \boxed{}$

2 $5 \times 0.07 = 5 \times \dfrac{\boxed{}}{100} = \dfrac{5 \times \boxed{}}{100}$

$= \dfrac{\boxed{}}{100} = \boxed{}$

8 $3 \times 0.11 = 3 \times \dfrac{\boxed{}}{100} = \dfrac{3 \times \boxed{}}{100}$

$= \dfrac{\boxed{}}{100} = \boxed{}$

3 $8 \times 0.29 = 8 \times \dfrac{\boxed{}}{100} = \dfrac{8 \times \boxed{}}{100}$

$= \dfrac{\boxed{}}{100} = \boxed{}$

9 $9 \times 0.54 = 9 \times \dfrac{\boxed{}}{100} = \dfrac{9 \times \boxed{}}{100}$

$= \dfrac{\boxed{}}{100} = \boxed{}$

4 $5 \times 0.48 = 5 \times \dfrac{\boxed{}}{100} = \dfrac{5 \times \boxed{}}{100}$

$= \dfrac{\boxed{}}{100} = \boxed{}$

10 $5 \times 0.62 = 5 \times \dfrac{\boxed{}}{100} = \dfrac{5 \times \boxed{}}{100}$

$= \dfrac{\boxed{}}{100} = \boxed{}$

5 $2 \times 0.84 = 2 \times \dfrac{\boxed{}}{100} = \dfrac{2 \times \boxed{}}{100}$

$= \dfrac{\boxed{}}{100} = \boxed{}$

11 $11 \times 0.31 = 11 \times \dfrac{\boxed{}}{100} = \dfrac{11 \times \boxed{}}{100}$

$= \dfrac{\boxed{}}{100} = \boxed{}$

6 $7 \times 0.09 = 7 \times \dfrac{\boxed{}}{100} = \dfrac{7 \times \boxed{}}{100}$

$= \dfrac{\boxed{}}{100} = \boxed{}$

12 $17 \times 0.33 = 17 \times \dfrac{\boxed{}}{100} = \dfrac{17 \times \boxed{}}{100}$

$= \dfrac{\boxed{}}{100} = \boxed{}$

공부한 날   월   일

4

소수의 곱셈

☀ 계산해 보시오. [1~9]

1
```
      3
×  0.0 7
─────────
   0.2 1
```

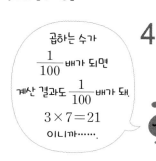

곱하는 수가 $\frac{1}{100}$배가 되면 계산 결과도 $\frac{1}{100}$배가 돼. $3 \times 7 = 21$ 이니까…….

4
```
      8
×  0.5 2
─────────
```

7
```
      6
×  0.6 9
─────────
```

2
```
      8
×  0.4 9
─────────
```

5
```
      9
×  0.3 7
─────────
```

8
```
      2
×  0.7 4
─────────
```

3
```
      4
×  0.4 3
─────────
```

6
```
      7
×  0.2 5
─────────
```

9
```
    1 3
×  0.1 4
─────────
```

☀ 계산해 보시오. [10~21]

10 7×0.81

14 4×0.16

18 4×0.28

11 8×0.57

15 3×0.26

19 5×0.47

12 6×0.02

16 8×0.19

20 3×0.04

13 8×0.44

17 2×0.37

21 13×0.04

13 (자연수)×(1보다 큰 소수 한 자리 수)(1)

☀ 소수를 분수로 나타내어 계산해 보시오.

1 $4 \times 7.2 = 4 \times \dfrac{\boxed{72}}{10} = \dfrac{4 \times \boxed{72}}{10}$

$= \dfrac{\boxed{288}}{10} = \boxed{28.8}$

소수 ■.▲는
분수 $\dfrac{■▲}{10}$로 나타내어
계산해.

2 $5 \times 3.7 = 5 \times \dfrac{\boxed{}}{10} = \dfrac{5 \times \boxed{}}{10}$

$= \dfrac{\boxed{}}{10} = \boxed{}$

3 $8 \times 4.7 = 8 \times \dfrac{\boxed{}}{10} = \dfrac{8 \times \boxed{}}{10}$

$= \dfrac{\boxed{}}{10} = \boxed{}$

4 $2 \times 2.7 = 2 \times \dfrac{\boxed{}}{10} = \dfrac{2 \times \boxed{}}{10}$

$= \dfrac{\boxed{}}{10} = \boxed{}$

5 $3 \times 1.9 = 3 \times \dfrac{\boxed{}}{10} = \dfrac{3 \times \boxed{}}{10}$

$= \dfrac{\boxed{}}{10} = \boxed{}$

6 $5 \times 4.3 = 5 \times \dfrac{\boxed{}}{10} = \dfrac{5 \times \boxed{}}{10}$

$= \dfrac{\boxed{}}{10} = \boxed{}$

7 $8 \times 8.3 = 8 \times \dfrac{\boxed{}}{10} = \dfrac{8 \times \boxed{}}{10}$

$= \dfrac{\boxed{}}{10} = \boxed{}$

8 $6 \times 1.2 = 6 \times \dfrac{\boxed{}}{10} = \dfrac{6 \times \boxed{}}{10}$

$= \dfrac{\boxed{}}{10} = \boxed{}$

9 $3 \times 4.6 = 3 \times \dfrac{\boxed{}}{10} = \dfrac{3 \times \boxed{}}{10}$

$= \dfrac{\boxed{}}{10} = \boxed{}$

10 $4 \times 7.5 = 4 \times \dfrac{\boxed{}}{10} = \dfrac{4 \times \boxed{}}{10}$

$= \dfrac{\boxed{}}{10} = \boxed{}$

11 $9 \times 3.6 = 9 \times \dfrac{\boxed{}}{10} = \dfrac{9 \times \boxed{}}{10}$

$= \dfrac{\boxed{}}{10} = \boxed{}$

12 $8 \times 9.3 = 8 \times \dfrac{\boxed{}}{10} = \dfrac{8 \times \boxed{}}{10}$

$= \dfrac{\boxed{}}{10} = \boxed{}$

☀ 계산해 보시오. [1~9]

1
```
      4
×   4.9
  1 9.6
```

4×49를 계산한 후 곱에 소수점을 찍어.

2
```
      7
×   9.8
```

3
```
      2
×   8.3
```

4
```
      3
×   3.7
```

5
```
      8
×   3.2
```

6
```
      3
×   7.5
```

7
```
      6
×   7.2
```

8
```
      9
×   4.3
```

9
```
    1 8
×   4.5
```

4 소수의 곱셈

☀ 계산해 보시오. [10~21]

10 2×2.1

11 6×8.7

12 5×3.2

13 8×5.4

14 9×1.6

15 8×6.5

16 2×1.4

17 7×4.7

18 7×3.6

19 4×1.5

20 4×4.7

21 31×2.9

☀ 소수를 분수로 나타내어 계산해 보시오.

1 $7 \times 2.14 = 7 \times \dfrac{\boxed{214}}{100} = \dfrac{7 \times \boxed{214}}{100}$

$= \dfrac{\boxed{1498}}{100} = \boxed{14.98}$

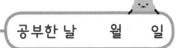

소수 두 자리 수는 분모가 100인 분수로 나타내어 계산해.

7 $4 \times 1.38 = 4 \times \dfrac{\boxed{}}{100} = \dfrac{4 \times \boxed{}}{100}$

$= \dfrac{\boxed{}}{100} = \boxed{}$

2 $3 \times 4.95 = 3 \times \dfrac{\boxed{}}{100} = \dfrac{3 \times \boxed{}}{100}$

$= \dfrac{\boxed{}}{100} = \boxed{}$

8 $6 \times 5.13 = 6 \times \dfrac{\boxed{}}{100} = \dfrac{6 \times \boxed{}}{100}$

$= \dfrac{\boxed{}}{100} = \boxed{}$

3 $6 \times 2.16 = 6 \times \dfrac{\boxed{}}{100} = \dfrac{6 \times \boxed{}}{100}$

$= \dfrac{\boxed{}}{100} = \boxed{}$

9 $4 \times 9.39 = 4 \times \dfrac{\boxed{}}{100} = \dfrac{4 \times \boxed{}}{100}$

$= \dfrac{\boxed{}}{100} = \boxed{}$

4 $5 \times 1.33 = 5 \times \dfrac{\boxed{}}{100} = \dfrac{5 \times \boxed{}}{100}$

$= \dfrac{\boxed{}}{100} = \boxed{}$

10 $8 \times 7.15 = 8 \times \dfrac{\boxed{}}{100} = \dfrac{8 \times \boxed{}}{100}$

$= \dfrac{\boxed{}}{100} = \boxed{}$

5 $4 \times 4.11 = 4 \times \dfrac{\boxed{}}{100} = \dfrac{4 \times \boxed{}}{100}$

$= \dfrac{\boxed{}}{100} = \boxed{}$

11 $11 \times 6.21 = 11 \times \dfrac{\boxed{}}{100} = \dfrac{11 \times \boxed{}}{100}$

$= \dfrac{\boxed{}}{100} = \boxed{}$

6 $2 \times 3.48 = 2 \times \dfrac{\boxed{}}{100} = \dfrac{2 \times \boxed{}}{100}$

$= \dfrac{\boxed{}}{100} = \boxed{}$

12 $74 \times 5.45 = 74 \times \dfrac{\boxed{}}{100} = \dfrac{74 \times \boxed{}}{100}$

$= \dfrac{\boxed{}}{100} = \boxed{}$

☀ **계산해 보시오. [1~9]**

1
$$\begin{array}{r} 5 \\ \times\ 3.0\,2 \\ \hline 15.1\,0 \end{array}$$

자연수의 곱셈을 한 후 곱에 소수점을 찍어.

4
$$\begin{array}{r} 9 \\ \times\ 9.1\,4 \\ \hline \end{array}$$

7
$$\begin{array}{r} 2\,0 \\ \times\ 1.4\,9 \\ \hline \end{array}$$

2
$$\begin{array}{r} 3 \\ \times\ 2.3\,9 \\ \hline \end{array}$$

5
$$\begin{array}{r} 4 \\ \times\ 1.6\,4 \\ \hline \end{array}$$

8
$$\begin{array}{r} 2\,3 \\ \times\ 3.2\,5 \\ \hline \end{array}$$

3
$$\begin{array}{r} 2 \\ \times\ 8.5\,7 \\ \hline \end{array}$$

6
$$\begin{array}{r} 6 \\ \times\ 8.3\,4 \\ \hline \end{array}$$

9
$$\begin{array}{r} 5\,2 \\ \times\ 6.4\,4 \\ \hline \end{array}$$

☀ **계산해 보시오. [10~21]**

10 2×3.72

14 6×5.59

18 8×2.75

11 5×1.25

15 9×8.12

19 13×2.76

12 3×1.71

16 8×3.94

20 21×8.17

13 4×7.11

17 50×4.84

21 28×6.08

☀ 소수를 분수로 나타내어 계산해 보시오.

1 $0.5 \times 0.3 = \dfrac{5}{10} \times \dfrac{3}{10} = \dfrac{15}{100} = 0.15$

0.▲ × 0.■ 는 $\dfrac{▲}{10} \times \dfrac{■}{10}$ 로 나타내어 계산할 수 있어.

2 $0.7 \times 0.5 = \dfrac{\square}{10} \times \dfrac{\square}{10} = \dfrac{\square}{100} = \square$

3 $0.4 \times 0.6 = \dfrac{\square}{10} \times \dfrac{\square}{10} = \dfrac{\square}{100} = \square$

4 $0.8 \times 0.7 = \dfrac{\square}{10} \times \dfrac{\square}{10} = \dfrac{\square}{100} = \square$

5 $0.4 \times 0.9 = \dfrac{\square}{10} \times \dfrac{\square}{10} = \dfrac{\square}{100} = \square$

6 $0.3 \times 0.8 = \dfrac{\square}{10} \times \dfrac{\square}{10} = \dfrac{\square}{100} = \square$

7 $0.6 \times 0.3 = \dfrac{\square}{10} \times \dfrac{\square}{10} = \dfrac{\square}{100} = \square$

8 $0.8 \times 0.5 = \dfrac{\square}{10} \times \dfrac{\square}{10} = \dfrac{\square}{100} = \square$

9 $0.2 \times 0.9 = \dfrac{\square}{10} \times \dfrac{\square}{10} = \dfrac{\square}{100} = \square$

10 $0.6 \times 0.8 = \dfrac{\square}{10} \times \dfrac{\square}{10} = \dfrac{\square}{100} = \square$

11 $0.3 \times 0.5 = \dfrac{\square}{10} \times \dfrac{\square}{10} = \dfrac{\square}{100} = \square$

12 $0.7 \times 0.4 = \dfrac{\square}{10} \times \dfrac{\square}{10} = \dfrac{\square}{100} = \square$

13 $0.9 \times 0.3 = \dfrac{\square}{10} \times \dfrac{\square}{10} = \dfrac{\square}{100} = \square$

14 $0.4 \times 0.8 = \dfrac{\square}{10} \times \dfrac{\square}{10} = \dfrac{\square}{100} = \square$

4

소수의 곱셈

☀ 계산해 보시오. [1~9]

1
$$\begin{array}{r} 0.2 \\ \times\ 0.7 \\ \hline 0.1\,4 \end{array}$$

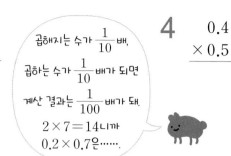

곱해지는 수가 $\frac{1}{10}$ 배,

곱하는 수가 $\frac{1}{10}$ 배가 되면

계산 결과는 $\frac{1}{100}$ 배가 돼.

$2 \times 7 = 14$ 니까

0.2×0.7 은……

4
$$\begin{array}{r} 0.4 \\ \times\ 0.5 \\ \hline \end{array}$$

7
$$\begin{array}{r} 0.8 \\ \times\ 0.4 \\ \hline \end{array}$$

2
$$\begin{array}{r} 0.6 \\ \times\ 0.9 \\ \hline \end{array}$$

5
$$\begin{array}{r} 0.7 \\ \times\ 0.7 \\ \hline \end{array}$$

8
$$\begin{array}{r} 0.5 \\ \times\ 0.2 \\ \hline \end{array}$$

3
$$\begin{array}{r} 0.6 \\ \times\ 0.4 \\ \hline \end{array}$$

6
$$\begin{array}{r} 0.6 \\ \times\ 0.6 \\ \hline \end{array}$$

9
$$\begin{array}{r} 0.7 \\ \times\ 0.9 \\ \hline \end{array}$$

☀ 계산해 보시오. [10~21]

10 0.3×0.7

14 0.6×0.7

18 0.5×0.7

11 0.2×0.2

15 0.7×0.3

19 0.4×0.3

12 0.4×0.7

16 0.9×0.5

20 0.8×0.6

13 0.5×0.5

17 0.8×0.9

21 0.3×0.6

☀ 소수를 분수로 나타내어 계산해 보시오.

1 $0.6 \times 0.13 = \dfrac{\boxed{6}}{10} \times \dfrac{\boxed{13}}{100}$

$= \dfrac{\boxed{78}}{1000} = \boxed{0.078}$

$\dfrac{▲}{10} \times \dfrac{■}{100}$ 는 $\dfrac{▲ \times ■}{1000}$ 야.
분모도 신경써야 해.

7 $0.8 \times 0.45 = \dfrac{\boxed{}}{10} \times \dfrac{\boxed{}}{100}$

$= \dfrac{\boxed{}}{1000} = \boxed{}$

2 $0.33 \times 0.7 = \dfrac{\boxed{}}{100} \times \dfrac{\boxed{}}{10}$

$= \dfrac{\boxed{}}{1000} = \boxed{}$

8 $0.3 \times 0.91 = \dfrac{\boxed{}}{10} \times \dfrac{\boxed{}}{100}$

$= \dfrac{\boxed{}}{1000} = \boxed{}$

3 $0.72 \times 0.3 = \dfrac{\boxed{}}{100} \times \dfrac{\boxed{}}{10}$

$= \dfrac{\boxed{}}{1000} = \boxed{}$

9 $0.68 \times 0.2 = \dfrac{\boxed{}}{100} \times \dfrac{\boxed{}}{10}$

$= \dfrac{\boxed{}}{1000} = \boxed{}$

4 $0.5 \times 0.32 = \dfrac{\boxed{}}{10} \times \dfrac{\boxed{}}{100}$

$= \dfrac{\boxed{}}{1000} = \boxed{}$

10 $0.38 \times 0.4 = \dfrac{\boxed{}}{100} \times \dfrac{\boxed{}}{10}$

$= \dfrac{\boxed{}}{1000} = \boxed{}$

5 $0.25 \times 0.4 = \dfrac{\boxed{}}{100} \times \dfrac{\boxed{}}{10}$

$= \dfrac{\boxed{}}{1000} = \boxed{}$

11 $0.2 \times 0.21 = \dfrac{\boxed{}}{10} \times \dfrac{\boxed{}}{100}$

$= \dfrac{\boxed{}}{1000} = \boxed{}$

6 $0.17 \times 0.9 = \dfrac{\boxed{}}{100} \times \dfrac{\boxed{}}{10}$

$= \dfrac{\boxed{}}{1000} = \boxed{}$

12 $0.9 \times 0.98 = \dfrac{\boxed{}}{10} \times \dfrac{\boxed{}}{100}$

$= \dfrac{\boxed{}}{1000} = \boxed{}$

☀ 계산해 보시오. [1~9]

1
$$\begin{array}{r} 0.0\,2 \\ \times\quad 0.9 \\ \hline 0.0\,1\,8 \end{array}$$

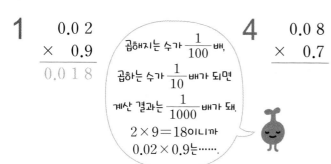

곱해지는 수가 $\frac{1}{100}$ 배,
곱하는 수가 $\frac{1}{10}$ 배가 되면
계산 결과는 $\frac{1}{1000}$ 배가 돼.
$2\times9=18$ 이니까
0.02×0.9 는……

4
$$\begin{array}{r} 0.0\,8 \\ \times\quad 0.7 \\ \hline \end{array}$$

7
$$\begin{array}{r} 0.7\,8 \\ \times\quad 0.6 \\ \hline \end{array}$$

2
$$\begin{array}{r} 0.7 \\ \times\;0.2\,9 \\ \hline \end{array}$$

5
$$\begin{array}{r} 0.4 \\ \times\;0.3\,6 \\ \hline \end{array}$$

8
$$\begin{array}{r} 0.9 \\ \times\;0.5\,8 \\ \hline \end{array}$$

3
$$\begin{array}{r} 0.2 \\ \times\;0.5\,4 \\ \hline \end{array}$$

6
$$\begin{array}{r} 0.7\,3 \\ \times\quad 0.7 \\ \hline \end{array}$$

9
$$\begin{array}{r} 0.2\,9 \\ \times\quad 0.8 \\ \hline \end{array}$$

☀ 계산해 보시오. [10~21]

10 0.71×0.5

14 0.14×0.9

18 0.5×0.42

11 0.3×0.18

15 0.8×0.61

19 0.83×0.2

12 0.9×0.75

16 0.3×0.87

20 0.11×0.7

13 0.32×0.4

17 0.52×0.4

21 0.7×0.48

4

소수의 곱셈

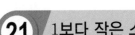
☀ 소수를 분수로 나타내어 계산해 보시오.

1 $0.12 \times 0.37 = \dfrac{\boxed{12}}{100} \times \dfrac{\boxed{37}}{100}$

$= \dfrac{\boxed{444}}{10000} = \boxed{0.0444}$

소수 $0.\blacktriangle\blacksquare$는 분수 $\dfrac{\blacktriangle\blacksquare}{100}$로 나타낼 수 있어.

7 $0.23 \times 0.43 = \dfrac{\boxed{}}{100} \times \dfrac{\boxed{}}{100}$

$= \dfrac{\boxed{}}{10000} = \boxed{}$

2 $0.42 \times 0.05 = \dfrac{\boxed{}}{100} \times \dfrac{\boxed{}}{100}$

$= \dfrac{\boxed{}}{10000} = \boxed{}$

8 $0.83 \times 0.71 = \dfrac{\boxed{}}{100} \times \dfrac{\boxed{}}{100}$

$= \dfrac{\boxed{}}{10000} = \boxed{}$

3 $0.95 \times 0.06 = \dfrac{\boxed{}}{100} \times \dfrac{\boxed{}}{100}$

$= \dfrac{\boxed{}}{10000} = \boxed{}$

9 $0.62 \times 0.31 = \dfrac{\boxed{}}{100} \times \dfrac{\boxed{}}{100}$

$= \dfrac{\boxed{}}{10000} = \boxed{}$

4 $0.35 \times 0.21 = \dfrac{\boxed{}}{100} \times \dfrac{\boxed{}}{100}$

$= \dfrac{\boxed{}}{10000} = \boxed{}$

10 $0.22 \times 0.09 = \dfrac{\boxed{}}{100} \times \dfrac{\boxed{}}{100}$

$= \dfrac{\boxed{}}{10000} = \boxed{}$

5 $0.71 \times 0.33 = \dfrac{\boxed{}}{100} \times \dfrac{\boxed{}}{100}$

$= \dfrac{\boxed{}}{10000} = \boxed{}$

11 $0.97 \times 0.02 = \dfrac{\boxed{}}{100} \times \dfrac{\boxed{}}{100}$

$= \dfrac{\boxed{}}{10000} = \boxed{}$

6 $0.09 \times 0.86 = \dfrac{\boxed{}}{100} \times \dfrac{\boxed{}}{100}$

$= \dfrac{\boxed{}}{10000} = \boxed{}$

12 $0.08 \times 0.64 = \dfrac{\boxed{}}{100} \times \dfrac{\boxed{}}{100}$

$= \dfrac{\boxed{}}{10000} = \boxed{}$

☀ **계산해 보시오. [1~9]**

1
```
   0.3 4
× 0.2 7
─────────
   2 3 8
   6 8
─────────
 0.0 9 1 8
```

곱해지는 수가 $\frac{1}{100}$ 배, 곱하는 수가 $\frac{1}{100}$ 배가 되면 계산 결과는 $\frac{1}{10000}$ 배가 돼.
$34 \times 27 = 918$ 이니까 0.34×0.27 은······.

4
```
   0.4 2
× 0.1 6
```

7
```
   0.9 3
× 0.1 3
```

2
```
   0.6 2
× 0.1 7
```

5
```
   0.0 7
× 0.3 4
```

8
```
   0.8 1
× 0.4 5
```

3
```
   0.5 3
× 0.0 9
```

6
```
   0.7 2
× 0.2 5
```

9
```
   0.2 5
× 0.4 4
```

☀ **계산해 보시오. [10~21]**

10 0.07×0.48

14 0.43×0.15

18 0.81×0.15

11 0.29×0.14

15 0.23×0.22

19 0.33×0.05

12 0.04×0.95

16 0.38×0.62

20 0.44×0.71

13 0.91×0.11

17 0.74×0.03

21 0.53×0.95

4

소수의 곱셈

☀ 소수를 분수로 나타내어 계산해 보시오.

1 $2.4 \times 3.8 = \dfrac{\boxed{24}}{10} \times \dfrac{\boxed{38}}{10}$

$= \dfrac{\boxed{912}}{100} = \boxed{9.12}$

분모는 분모끼리,
분자는 분자끼리 곱해.

7 $3.3 \times 6.2 = \dfrac{\boxed{}}{10} \times \dfrac{\boxed{}}{10}$

$= \dfrac{\boxed{}}{100} = \boxed{}$

2 $4.9 \times 1.6 = \dfrac{\boxed{}}{10} \times \dfrac{\boxed{}}{10}$

$= \dfrac{\boxed{}}{100} = \boxed{}$

8 $1.5 \times 4.7 = \dfrac{\boxed{}}{10} \times \dfrac{\boxed{}}{10}$

$= \dfrac{\boxed{}}{100} = \boxed{}$

3 $7.2 \times 3.9 = \dfrac{\boxed{}}{10} \times \dfrac{\boxed{}}{10}$

$= \dfrac{\boxed{}}{100} = \boxed{}$

9 $4.8 \times 1.2 = \dfrac{\boxed{}}{10} \times \dfrac{\boxed{}}{10}$

$= \dfrac{\boxed{}}{100} = \boxed{}$

4 $5.8 \times 6.3 = \dfrac{\boxed{}}{10} \times \dfrac{\boxed{}}{10}$

$= \dfrac{\boxed{}}{100} = \boxed{}$

10 $4.3 \times 6.4 = \dfrac{\boxed{}}{10} \times \dfrac{\boxed{}}{10}$

$= \dfrac{\boxed{}}{100} = \boxed{}$

5 $1.7 \times 2.3 = \dfrac{\boxed{}}{10} \times \dfrac{\boxed{}}{10}$

$= \dfrac{\boxed{}}{100} = \boxed{}$

11 $3.8 \times 5.2 = \dfrac{\boxed{}}{10} \times \dfrac{\boxed{}}{10}$

$= \dfrac{\boxed{}}{100} = \boxed{}$

6 $4.5 \times 8.9 = \dfrac{\boxed{}}{10} \times \dfrac{\boxed{}}{10}$

$= \dfrac{\boxed{}}{100} = \boxed{}$

12 $7.9 \times 5.2 = \dfrac{\boxed{}}{10} \times \dfrac{\boxed{}}{10}$

$= \dfrac{\boxed{}}{100} = \boxed{}$

4

소수의 곱셈

☀ 계산해 보시오. [1~9]

1
$$\begin{array}{r} 2.2 \\ \times\ 1.3 \\ \hline 6\,6 \\ 2\,2\ \\ \hline 2.8\,6 \end{array}$$

22×13을 계산한 후 곱에 소수점을 찍어.

4
$$\begin{array}{r} 3.4 \\ \times\ 4.5 \\ \hline \end{array}$$

7
$$\begin{array}{r} 7.3 \\ \times\ 4.2 \\ \hline \end{array}$$

2
$$\begin{array}{r} 9.2 \\ \times\ 1.6 \\ \hline \end{array}$$

5
$$\begin{array}{r} 8.3 \\ \times\ 4.2 \\ \hline \end{array}$$

8
$$\begin{array}{r} 5.2 \\ \times\ 3.7 \\ \hline \end{array}$$

3
$$\begin{array}{r} 4.2 \\ \times\ 2.9 \\ \hline \end{array}$$

6
$$\begin{array}{r} 1.7 \\ \times\ 1.2 \\ \hline \end{array}$$

9
$$\begin{array}{r} 6.7 \\ \times\ 3.8 \\ \hline \end{array}$$

☀ 계산해 보시오. [10~21]

10 1.5×5.4

14 7.2×5.5

18 4.1×1.5

11 8.3×2.7

15 2.6×4.4

19 2.4×8.2

12 3.9×6.2

16 6.2×7.5

20 6.1×7.9

13 9.4×1.7

17 2.8×9.4

21 3.8×2.5

☀ 소수를 분수로 나타내어 계산해 보시오.

1　$1.6 \times 2.24 = \dfrac{16}{10} \times \dfrac{224}{100}$

$= \dfrac{3584}{1000} = 3.584$

▲.■ $= \dfrac{▲■}{10}$,

●.★♥ $= \dfrac{●★♥}{100}$

2　$5.33 \times 2.7 = \dfrac{\boxed{}}{100} \times \dfrac{\boxed{}}{10}$

$= \dfrac{\boxed{}}{1000} = \boxed{}$

3　$1.74 \times 5.2 = \dfrac{\boxed{}}{100} \times \dfrac{\boxed{}}{10}$

$= \dfrac{\boxed{}}{1000} = \boxed{}$

4　$1.06 \times 2.4 = \dfrac{\boxed{}}{100} \times \dfrac{\boxed{}}{10}$

$= \dfrac{\boxed{}}{1000} = \boxed{}$

5　$8.49 \times 9.7 = \dfrac{\boxed{}}{100} \times \dfrac{\boxed{}}{10}$

$= \dfrac{\boxed{}}{1000} = \boxed{}$

6　$1.5 \times 3.42 = \dfrac{\boxed{}}{10} \times \dfrac{\boxed{}}{100}$

$= \dfrac{\boxed{}}{1000} = \boxed{}$

7　$3.4 \times 2.45 = \dfrac{\boxed{}}{10} \times \dfrac{\boxed{}}{100}$

$= \dfrac{\boxed{}}{1000} = \boxed{}$

8　$6.44 \times 1.2 = \dfrac{\boxed{}}{100} \times \dfrac{\boxed{}}{10}$

$= \dfrac{\boxed{}}{1000} = \boxed{}$

9　$4.36 \times 4.2 = \dfrac{\boxed{}}{100} \times \dfrac{\boxed{}}{10}$

$= \dfrac{\boxed{}}{1000} = \boxed{}$

10　$3.8 \times 1.51 = \dfrac{\boxed{}}{10} \times \dfrac{\boxed{}}{100}$

$= \dfrac{\boxed{}}{1000} = \boxed{}$

11　$9.6 \times 7.06 = \dfrac{\boxed{}}{10} \times \dfrac{\boxed{}}{100}$

$= \dfrac{\boxed{}}{1000} = \boxed{}$

12　$8.75 \times 1.4 = \dfrac{\boxed{}}{100} \times \dfrac{\boxed{}}{10}$

$= \dfrac{\boxed{}}{1000} = \boxed{}$

4

소수의 곱셈

☀ 계산해 보시오. [1~9]

1
```
    7.4 5
  ×   1.8
    5 9 6 0
    7 4 5
  1 3.4 1 0
```
745×18＝13410
이니까 7.45×1.8은
13410의 $\frac{1}{1000}$ 배야.

4
```
    1.3 7
  ×   2.8
```

7
```
    4.2 6
  ×   3.2
```

2
```
      3.5
  ×  7.0 3
```

5
```
      5.1
  ×  4.2 2
```

8
```
      4.8
  ×  1.2 5
```

3
```
    1.3 5
  ×   9.2
```

6
```
      8.4
  ×  7.2 7
```

9
```
      6.3
  ×  5.9 2
```

☀ 계산해 보시오. [10~21]

10 1.28×9.1

14 5.6×5.09

18 5.46×3.2

11 5.3×7.24

15 1.13×8.2

19 4.1×1.23

12 6.14×8.4

16 4.01×3.7

20 7.29×2.2

13 1.5×4.45

17 1.5×7.22

21 3.05×7.7

☀ 소수를 분수로 나타내어 계산해 보시오.

1 $3.42 \times 4.51 = \dfrac{\boxed{342}}{100} \times \dfrac{\boxed{451}}{100}$

$= \dfrac{\boxed{154242}}{10000} = \boxed{15.4242}$

 $\dfrac{▲}{100} \times \dfrac{■}{100} = \dfrac{▲ \times ■}{10000}$

2 $9.53 \times 1.54 = \dfrac{\boxed{}}{100} \times \dfrac{\boxed{}}{100}$

$= \dfrac{\boxed{}}{10000} = \boxed{}$

3 $3.47 \times 4.82 = \dfrac{\boxed{}}{100} \times \dfrac{\boxed{}}{100}$

$= \dfrac{\boxed{}}{10000} = \boxed{}$

4 $3.31 \times 5.04 = \dfrac{\boxed{}}{100} \times \dfrac{\boxed{}}{100}$

$= \dfrac{\boxed{}}{10000} = \boxed{}$

5 $6.14 \times 1.88 = \dfrac{\boxed{}}{100} \times \dfrac{\boxed{}}{100}$

$= \dfrac{\boxed{}}{10000} = \boxed{}$

6 $1.36 \times 3.74 = \dfrac{\boxed{}}{100} \times \dfrac{\boxed{}}{100}$

$= \dfrac{\boxed{}}{10000} = \boxed{}$

7 $1.68 \times 4.62 = \dfrac{\boxed{}}{100} \times \dfrac{\boxed{}}{100}$

$= \dfrac{\boxed{}}{10000} = \boxed{}$

8 $6.22 \times 7.38 = \dfrac{\boxed{}}{100} \times \dfrac{\boxed{}}{100}$

$= \dfrac{\boxed{}}{10000} = \boxed{}$

9 $3.71 \times 9.74 = \dfrac{\boxed{}}{100} \times \dfrac{\boxed{}}{100}$

$= \dfrac{\boxed{}}{10000} = \boxed{}$

10 $1.09 \times 2.48 = \dfrac{\boxed{}}{100} \times \dfrac{\boxed{}}{100}$

$= \dfrac{\boxed{}}{10000} = \boxed{}$

11 $3.95 \times 4.22 = \dfrac{\boxed{}}{100} \times \dfrac{\boxed{}}{100}$

$= \dfrac{\boxed{}}{10000} = \boxed{}$

12 $6.42 \times 7.38 = \dfrac{\boxed{}}{100} \times \dfrac{\boxed{}}{100}$

$= \dfrac{\boxed{}}{10000} = \boxed{}$

☀ 계산해 보시오. [1~9]

1
$$\begin{array}{r} 3.7\,5 \\ \times\,1.0\,4 \\ \hline 1\,5\,0\,0 \\ 3\,7\,5 \\ \hline 3.9\,0\,0\,0 \end{array}$$

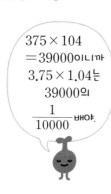

375 × 104
= 39000이니까
3.75 × 1.04는
39000의
$\dfrac{1}{10000}$ 배야.

4
$$\begin{array}{r} 7.0\,5 \\ \times\,2.4\,3 \\ \hline \end{array}$$

7
$$\begin{array}{r} 6.6\,3 \\ \times\,3.8\,9 \\ \hline \end{array}$$

2
$$\begin{array}{r} 9.1\,8 \\ \times\,1.9\,2 \\ \hline \end{array}$$

5
$$\begin{array}{r} 6.2\,1 \\ \times\,3.7\,7 \\ \hline \end{array}$$

8
$$\begin{array}{r} 4.8\,2 \\ \times\,1.0\,6 \\ \hline \end{array}$$

3
$$\begin{array}{r} 7.2\,2 \\ \times\,2.0\,5 \\ \hline \end{array}$$

6
$$\begin{array}{r} 4.9\,7 \\ \times\,6.1\,4 \\ \hline \end{array}$$

9
$$\begin{array}{r} 3.1\,3 \\ \times\,2.7\,3 \\ \hline \end{array}$$

☀ 계산해 보시오. [10~21]

10 4.49×8.03

14 6.72×1.01

18 9.64×1.55

11 7.84×1.76

15 3.28×2.11

19 3.14×2.19

12 3.59×2.95

16 5.73×2.44

20 8.94×1.63

13 1.89×4.06

17 3.26×4.77

21 1.54×2.16

☀ □ 안에 알맞은 수를 써넣으시오.

1 $0.23 \times 1 = 0.23$

$0.23 \times 10 = \boxed{2.3}$

$0.23 \times 100 = \boxed{23}$

$0.23 \times 1000 = \boxed{230}$

곱하는 수의 0이 하나씩 늘어날 때마다 곱의 소수점을 오른쪽으로 한 칸씩 옮겨.

6 $0.55 \times 1 = 0.55$

$0.55 \times 10 = \boxed{}$

$0.55 \times 100 = \boxed{}$

$0.55 \times 1000 = \boxed{}$

2 $4.74 \times 1 = 4.74$

$4.74 \times 10 = \boxed{}$

$4.74 \times 100 = \boxed{}$

$4.74 \times 1000 = \boxed{}$

7 $5.96 \times 1 = 5.96$

$5.96 \times 10 = \boxed{}$

$5.96 \times 100 = \boxed{}$

$5.96 \times 1000 = \boxed{}$

3 $0.278 \times 1 = 0.278$

$0.278 \times 10 = \boxed{}$

$0.278 \times 100 = \boxed{}$

$0.278 \times 1000 = \boxed{}$

8 $0.063 \times 1 = 0.063$

$0.063 \times 10 = \boxed{}$

$0.063 \times 100 = \boxed{}$

$0.063 \times 1000 = \boxed{}$

4 $1.319 \times 1 = 1.319$

$1.319 \times 10 = \boxed{}$

$1.319 \times 100 = \boxed{}$

$1.319 \times 1000 = \boxed{}$

9 $0.7032 \times 1 = 0.7032$

$0.7032 \times 10 = \boxed{}$

$0.7032 \times 100 = \boxed{}$

$0.7032 \times 1000 = \boxed{}$

5 $6.703 \times 1 = 6.703$

$6.703 \times 10 = \boxed{}$

$6.703 \times 100 = \boxed{}$

$6.703 \times 1000 = \boxed{}$

10 $2.845 \times 1 = 2.845$

$2.845 \times 10 = \boxed{}$

$2.845 \times 100 = \boxed{}$

$2.845 \times 1000 = \boxed{}$

☀ □ 안에 알맞은 수를 써넣으시오.

1 $52 \times 1 = 52$

$52 \times 0.1 = \boxed{5.2}$

$52 \times 0.01 = \boxed{0.52}$

$52 \times 0.001 = \boxed{0.052}$

> 곱하는 소수의 소수점 아래 자리 수가 하나씩 늘어날 때마다 곱의 소수점을 왼쪽으로 한 칸씩 옮겨.

6 $67 \times 1 = 67$

$67 \times 0.1 = \boxed{}$

$67 \times 0.01 = \boxed{}$

$67 \times 0.001 = \boxed{}$

2 $290 \times 1 = 290$

$290 \times 0.1 = \boxed{}$

$290 \times 0.01 = \boxed{}$

$290 \times 0.001 = \boxed{}$

7 $720 \times 1 = 720$

$720 \times 0.1 = \boxed{}$

$720 \times 0.01 = \boxed{}$

$720 \times 0.001 = \boxed{}$

3 $816 \times 1 = 816$

$816 \times 0.1 = \boxed{}$

$816 \times 0.01 = \boxed{}$

$816 \times 0.001 = \boxed{}$

8 $24 \times 1 = 24$

$24 \times 0.1 = \boxed{}$

$24 \times 0.01 = \boxed{}$

$24 \times 0.001 = \boxed{}$

4 $5014 \times 1 = 5014$

$5014 \times 0.1 = \boxed{}$

$5014 \times 0.01 = \boxed{}$

$5014 \times 0.001 = \boxed{}$

9 $326 \times 1 = 326$

$326 \times 0.1 = \boxed{}$

$326 \times 0.01 = \boxed{}$

$326 \times 0.001 = \boxed{}$

5 $408 \times 1 = 408$

$408 \times 0.1 = \boxed{}$

$408 \times 0.01 = \boxed{}$

$408 \times 0.001 = \boxed{}$

10 $1005 \times 1 = 1005$

$1005 \times 0.1 = \boxed{}$

$1005 \times 0.01 = \boxed{}$

$1005 \times 0.001 = \boxed{}$

4

소수의 곱셈

31 곱의 소수점 위치⑶

☀ □ 안에 알맞은 수를 써넣으시오.

1 $0.186 \times 1 = 0.186$

$0.186 \times \boxed{10} = 1.86$

$0.186 \times \boxed{100} = 18.6$

$0.186 \times \boxed{1000} = 186$

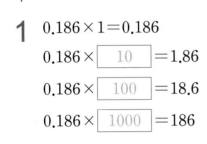
곱의 소수점이 오른쪽으로 1칸, 2칸, 3칸 이동했으면 각각 10, 100, 1000을 곱한 거야.

6 $24.7 \times 1 = 24.7$

$24.7 \times \boxed{0.1} = 2.47$

$24.7 \times \boxed{0.01} = 0.247$

$24.7 \times \boxed{0.001} = 0.0247$

곱의 소수점이 왼쪽으로 1칸, 2칸, 3칸 이동했으면 각각 0.1, 0.01, 0.001을 곱한 거야.

2 $0.492 \times 1 = 0.492$

$0.492 \times \boxed{} = 4.92$

$0.492 \times \boxed{} = 492$

$0.492 \times \boxed{} = 49.2$

7 $1 \times 605 = 605$

$\boxed{} \times 605 = 60.5$

$\boxed{} \times 605 = 0.605$

$\boxed{} \times 605 = 6.05$

3 $0.413 \times 1 = 0.413$

$0.413 \times \boxed{} = 41.3$

$0.413 \times \boxed{} = 4.13$

$0.413 \times \boxed{} = 413$

8 $1 \times 1500 = 1500$

$\boxed{} \times 1500 = 15$

$\boxed{} \times 1500 = 1.5$

$\boxed{} \times 1500 = 150$

4 $1 \times 0.574 = 0.574$

$\boxed{} \times 0.574 = 5.74$

$\boxed{} \times 0.574 = 57.4$

$\boxed{} \times 0.574 = 574$

9 $147.5 \times 1 = 147.5$

$147.5 \times \boxed{} = 1.475$

$147.5 \times \boxed{} = 0.1475$

$147.5 \times \boxed{} = 14.75$

5 $1 \times 2.185 = 2.185$

$\boxed{} \times 2.185 = 218.5$

$\boxed{} \times 2.185 = 2185$

$\boxed{} \times 2.185 = 21.85$

10 $460 \times 1 = 460$

$460 \times \boxed{} = 46$

$460 \times \boxed{} = 0.46$

$460 \times \boxed{} = 4.6$

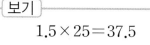

☀ 보기를 이용하여 계산해 보시오.

1 보기
$$1.5 \times 25 = 37.5$$

$1.5 \times 250 = \boxed{375}$
$0.15 \times 25 = \boxed{3.75}$

곱하는 수의 0이 하나씩 늘어날 때마다 곱의 소수점을 오른쪽으로 한 칸씩 옮기고, 곱하는 소수의 소수점 아래 자리 수가 하나씩 늘어날 때마다 곱의 소수점을 왼쪽으로 한 칸씩 옮겨.

2 보기
$$24.7 \times 33 = 815.1$$

$24.7 \times 330 = \boxed{}$
$2.47 \times 33 = \boxed{}$

3 보기
$$8.6 \times 57 = 490.2$$

$8.6 \times 5700 = \boxed{}$
$0.086 \times 57 = \boxed{}$

4 보기
$$36.2 \times 19 = 687.8$$

$36.2 \times 1900 = \boxed{}$
$0.362 \times 19 = \boxed{}$

5 보기
$$7.4 \times 41 = 303.4$$

$7.4 \times 410 = \boxed{}$
$0.074 \times 41 = \boxed{}$

6 보기
$$146 \times 4.3 = 627.8$$

$1460 \times 4.3 = \boxed{}$
$146 \times 0.43 = \boxed{}$

7 보기
$$34 \times 8.2 = 278.8$$

$3400 \times 8.2 = \boxed{}$
$34 \times 0.82 = \boxed{}$

8 보기
$$23 \times 2.4 = 55.2$$

$230 \times 2.4 = \boxed{}$
$23 \times 0.024 = \boxed{}$

9 보기
$$525 \times 1.7 = 892.5$$

$52500 \times 1.7 = \boxed{}$
$525 \times 0.017 = \boxed{}$

10 보기
$$89 \times 5.6 = 498.4$$

$8900 \times 5.6 = \boxed{}$
$89 \times 0.056 = \boxed{}$

4

소수의 곱셈

☀ 보기 를 이용하여 계산해 보시오.

1
> 보기
> $24 \times 147 = 3528$

$2.4 \times 14.7 =$ 35.28

$2.4 \times 1.47 =$ 3.528

$0.24 \times 1.47 =$ 0.3528

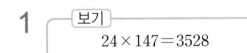

자연수끼리 계산한 결과에 곱하는 두 수의 소수점 아래 자리 수를 더한 것만큼 소수점을 왼쪽으로 옮겨.

5
> 보기
> $32 \times 233 = 7456$

$3.2 \times 23.3 =$

$3.2 \times 2.33 =$

$0.32 \times 23.3 =$

2
> 보기
> $35 \times 267 = 9345$

$0.35 \times 26.7 =$

$3.5 \times 26.7 =$

$3.5 \times 2.67 =$

6
> 보기
> $45 \times 38 = 1710$

$4.5 \times 3.8 =$

$0.45 \times 3.8 =$

$4.5 \times 0.38 =$

3
> 보기
> $51 \times 68 = 3468$

$5.1 \times 0.68 =$

$0.51 \times 6.8 =$

$5.1 \times 6.8 =$

7
> 보기
> $952 \times 66 = 62832$

$9.52 \times 6.6 =$

$95.2 \times 0.66 =$

$9.52 \times 0.66 =$

4
> 보기
> $83 \times 89 = 7387$

$8.3 \times 8.9 =$

$0.83 \times 8.9 =$

$8.3 \times 0.89 =$

8
> 보기
> $31 \times 27 = 837$

$3.1 \times 2.7 =$

$0.31 \times 2.7 =$

$0.31 \times 0.27 =$

✹ 632×19＝12008입니다. □ 안에 알맞은 수를 써넣어 식을 완성해 보시오. [1~6]

1 [6.32] ×1.9＝12.008

곱의 소수점 아래 자리 수는 곱하는 두 수의 소수점 아래 자리 수를 더한 것과 같아.

4 6.32×[   ]＝1.2008

2 [   ] ×19＝120.08

5 0.632×[   ]＝12.008

3 [   ] ×0.19＝12.008

6 63.2×[   ]＝120.08

4

소 수 의 곱 셈

✹ 31×248＝7688입니다. □ 안에 알맞은 수를 써넣어 식을 완성해 보시오. [7~12]

7 [   ] ×24.8＝76.88

10 3.1×[   ]＝0.7688

8 [   ] ×2.48＝7.688

11 0.31×[   ]＝76.88

9 [   ] ×24.8＝7.688

12 0.31×[   ]＝0.7688

✹ 365×62＝22630입니다. □ 안에 알맞은 수를 써넣어 식을 완성해 보시오. [13~18]

13 [   ] ×0.62＝2.263

16 0.365×[   ]＝2.263

14 [   ] ×0.62＝22.63

17 36.5×[   ]＝226.3

15 [   ] ×62＝22.63

18 3.65×[   ]＝22.63

1 0.3×7을 여러 가지 방법으로 계산해 보시오.

$$0.3 \times 7 = \frac{\square}{10} \times 7 = \frac{\square \times 7}{10}$$

$$= \frac{\square}{10} = \square$$

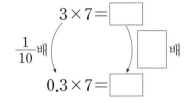

$3 \times 7 = \square$

$\frac{1}{10}$배

$0.3 \times 7 = \square$

배

· (소수)×(자연수)를 여러 가지 방법으로 계산할 수 있습니다.

방법1 분수의 곱셈으로 계산하기

방법2 자연수의 곱셈으로 계산하기

2 계산해 보시오.

(1) 0.3
   × 6

(2) 0.45
   × 0.7

> 소수의 곱셈은 먼저 자연수의 곱셈을 한 후 곱에 소수점을 찍어.

☀ □ 안에 알맞은 수를 써넣으시오. [3~4]

3 $4.219 \times 1 = 4.219$

$4.219 \times 10 = \square$

$4.219 \times 100 = \square$

$4.219 \times 1000 = \square$

4 $132 \times 1 = 132$

$132 \times 0.1 = \square$

$132 \times 0.01 = \square$

$132 \times 0.001 = \square$

· 곱하는 수의 0이 하나씩 늘어날 때마다 곱의 소수점을 오른쪽으로 한 칸씩 옮깁니다.

· 곱하는 소수의 소수점 아래 자리 수가 하나씩 늘어날 때마다 곱의 소수점을 왼쪽으로 한 칸씩 옮깁니다.

5 □ 안에 알맞은 수를 써넣으시오.

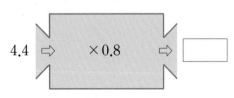

$4.4 \Rightarrow \times 0.8 \Rightarrow \square$

· 어떤 수에 1보다 작은 수를 곱하면 계산 결과는 어떤 수보다 작습니다.

6 계산 결과를 비교하여 ○ 안에 >, =, <를 알맞게 써넣으시오.

$$9.1 \times 3 \bigcirc 12 \times 2.4$$

· 바르게 계산하여 결과를 비교합니다.

7 27×38=1026임을 이용하여 □ 안에 알맞은 수를 써넣으시오.

(1) 2.7× □ =10.26 (2) □ ×3.8=1.026

곱의 소수점 아래 자리 수는 곱하는 두 수의 소수점 아래 자리 수를 더한 것과 같습니다.

8 태희가 가지고 있는 끈의 길이는 몇 m입니까?

경수

태희

(   )

• (태희가 가지고 있는 끈의 길이)
 =(경수가 가지고 있는 끈의 길이)
 ×3

9 가로가 0.85 m, 세로가 0.5 m인 직사각형 모양의 종이가 있습니다. 종이의 넓이는 몇 m²입니까?

(   )

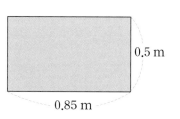

0.5 m

0.85 m

• (직사각형의 넓이)
 =(가로)×(세로)

10 재희의 몸무게는 38.4 kg이고, 아버지의 몸무게는 재희의 몸무게의 2배입니다. 아버지의 몸무게는 몇 kg입니까?

(   )

• ■의 ▲배
 ⇨ ■×▲

5 직육면체

제5화 딱 맞는 선물 상자 만들기

태희야, 너 혹시 상자 있어?

크기가 얼만한 거?

내 로봇 장난감 포장할 만한 거…….

찾아봐야겠다.

좀 있다 공부하러 우리집 올 때 있으면 가져다 줘.

직육면체 상자면 되는 거지?

어…… 어어.

직육면체?

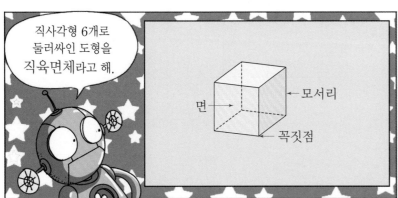

직사각형 6개로 둘러싸인 도형을 직육면체라고 해.

면 → 모서리

꼭짓점

경수네 집

이 정도면 돼?

잠깐만…….

머리가 안 들어간다.

근데 누구한테 보내려고 하는데?

곧 친구 생일이라…….

설마…… 나는 아니겠지?

이미 배운 내용	이번에 배울 내용	앞으로 배울 내용
[3-1 평면도형] • 직사각형 알아보기 [4-2 사각형] • 수직과 평행 알아보기	• 직육면체와 정육면체 알아보기 • 직육면체의 겨냥도 알아보고 그리기 • 정육면체와 직육면체 전개도 이해하고 그리기	[6-1 각기둥과 각뿔] • 각기둥과 각뿔 알아보기 [6-1 직육면체의 부피와 겉넓이] • 직육면체의 부피와 겉넓이 계산하기

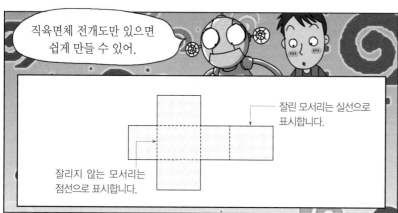

배운 것 확인하기

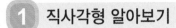

1 직사각형 알아보기

☀ 직사각형이면 ○표, 아니면 ×표 하시오.
[1~5]

1

(○)

네 각이 모두 직각인 사각형을 직사각형이라고 해. 네 각의 크기를 확인해 봐.

2

( )

3

( )

4

( )

5
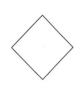

( )

☀ 직사각형입니다. □ 안에 알맞은 수를 써넣으시오. [6~7]

6
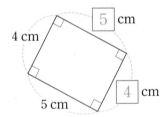

5 cm
4 cm
4 cm
5 cm

직사각형은 마주 보는 두 변의 길이가 같아.

7
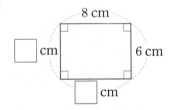

8 cm
cm
6 cm
cm

2 정사각형 알아보기

☀ 정사각형이면 ○표, 아니면 ×표 하시오.
[1~5]

1
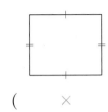

(✕)

정사각형은 네 변의 길이가 같고, 네 각의 크기도 같아.

2

( )

3

( )

4
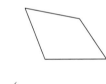

( )

5

( )

☀ 정사각형입니다. □ 안에 알맞은 수를 써넣으시오. [6~7]

6
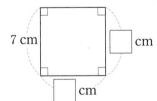

7 cm
cm
cm

7
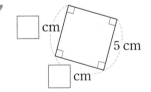

cm
5 cm
cm

❋ 서로 수직인 변이 있는 도형에 ◯표, 없는 도형에 ✕표 하시오. [1~5]

1

두 직선이 만나 만들어진 각이 90°이면 두 직선은 서로 수직이야.
(◯)

2
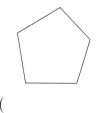
( )

3
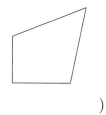
( )

4
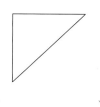
( )

5
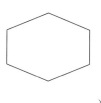
( )

❋ 직선 가와 수직인 직선을 쓰시오. [6~7]

6
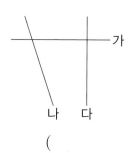
( )

7
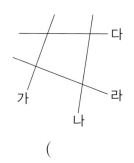
( )

❋ 서로 평행한 선분이 있는 것에 ◯표, 없는 것에 ✕표 하시오. [1~5]

1
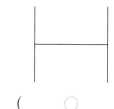
서로 만나지 않는 두 직선을 평행하다고 해.
(◯)

2
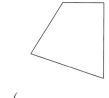
( )

3
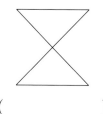
( )

4

( )

5
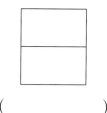
( )

❋ 직선 가와 평행하고 점 ㄱ을 지나는 직선을 그어 보시오. [6~9]

6

ㄱ
가

7
가

8

9
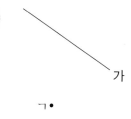

5. 직육면체 **127**

5
직육면체

1 직사각형 6개로 둘러싸인 도형

☀ 직육면체인 도형에 ◯표, 직육면체가 아닌 도형에는 ✕표 하시오.

1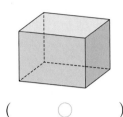

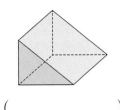 직사각형 6개로 둘러싸인 도형을 직육면체라고 해.

(◯   )

10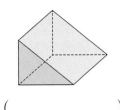

(   )

2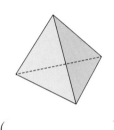

(   )

6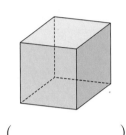

(   )

11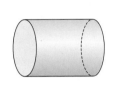

(   )

3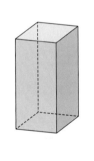

(   )

7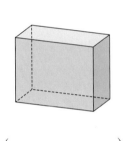

(   )

12

(   )

4

(   )

8

(   )

13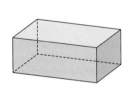

(   )

5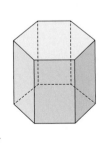

(   )

9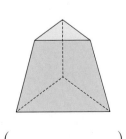

(   )

14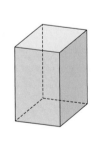

(   )

☀ 정육면체인 도형은 '정', 직육면체인 도형은 '직', 직육면체도 정육면체도 아닌 도형은 ×표 하시오.

1

(　정, 직　)

정육면체는 모서리의 길이가 모두 같은 직육면체라고 할 수 있어.

10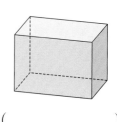

(　　　)

2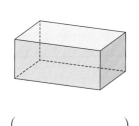

(　　　)

6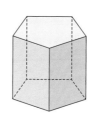

(　　　)

11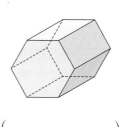

(　　　)

3

(　　　)

7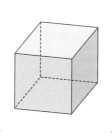

(　　　)

12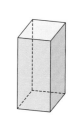

(　　　)

4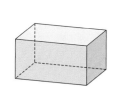

(　　　)

8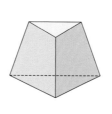

(　　　)

13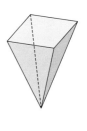

(　　　)

5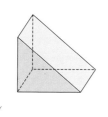

(　　　)

9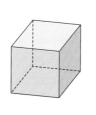

(　　　)

14

(　　　)

☀ 직육면체에서 색칠한 면과 평행한 면을 찾아 빗금을 그어 보시오. [1~9]

1
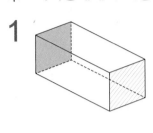

직육면체에서 마주 보는 면끼리는 평행하지.

4
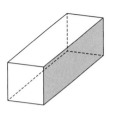

7
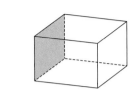

2
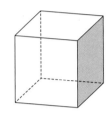

5

8
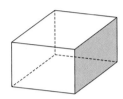

3
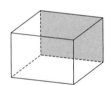

6
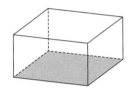

9
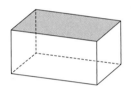

☀ 직육면체에서 색칠한 면과 평행한 면을 찾아 쓰시오. [10~13]

10
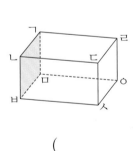

(　　　　　　　)

12
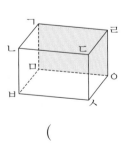

(　　　　　　　)

11
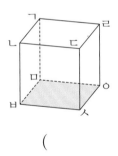

(　　　　　　　)

13
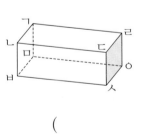

(　　　　　　　)

☀ **직육면체를 보고 물음에 답하시오. [1~2]**

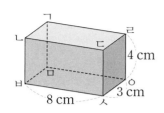

1 면 ㅁㅂㅅㅇ과 평행한 면을 찾아 쓰시오.

면 (　　　　ㄱㄴㄷㄹ　　　　)

2 면 ㅁㅂㅅㅇ과 평행한 면의 모서리 길이의 합은 몇 cm입니까?

(　　　22 cm　　　)

평행한 면을 찾고 모서리의 길이를 확인해 봐.

면 ㄱㄴㄷㄹ의 모서리의 길이는 3 cm, 8 cm, 3 cm, 8 cm이다.
(면 ㄱㄴㄷㄹ의 모서리 길이의 합)
＝(8＋3)×2＝11×2＝22 (cm)

☀ **직육면체를 보고 물음에 답하시오. [3~4]**

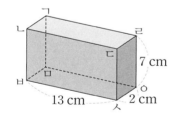

3 면 ㄹㄷㅅㅇ과 평행한 면을 찾아 쓰시오.

면 (　　　　　　　)

4 면 ㄹㄷㅅㅇ과 평행한 면의 모서리 길이의 합은 몇 cm입니까?

(　　　　　　　)

☀ **직육면체를 보고 물음에 답하시오. [5~6]**

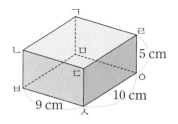

5 면 ㄴㅂㅅㄷ과 평행한 면을 찾아 쓰시오.

면 (　　　　　　　)

6 면 ㄴㅂㅅㄷ과 평행한 면의 모서리 길이의 합은 몇 cm입니까?

(　　　　　　　)

☀ **직육면체를 보고 물음에 답하시오. [7~8]**

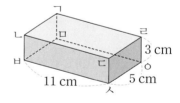

7 면 ㄱㅁㅇㄹ과 평행한 면을 찾아 쓰시오.

면 (　　　　　　　)

8 면 ㄱㅁㅇㄹ과 평행한 면의 모서리 길이의 합은 몇 cm입니까?

(　　　　　　　)

5
직육면체

☀ 직육면체에서 색칠한 면과 수직인 면이 아닌 것에 ×표 하시오. [1~4]

1
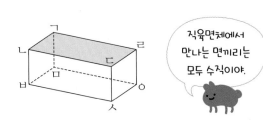

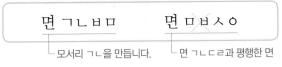

면 ㄱㄴㅂㅁ   면 ㅁㅂㅅㅇ
└ 모서리 ㄱㄴ을 만듭니다.   └ 면 ㄱㄴㄷㄹ과 평행한 면

3
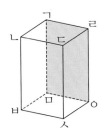

면 ㄴㅂㅅㄷ   면 ㄱㄴㅂㅁ

2
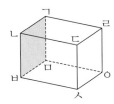

면 ㄱㅁㅇㄹ   면 ㄹㄷㅅㅇ

4
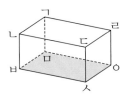

면 ㄷㅅㅇㄹ   면 ㄱㄴㄷㄹ

☀ 직육면체에서 색칠한 면과 수직인 면을 모두 찾아 쓰시오. [5~10]

5
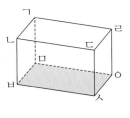

(   )

8
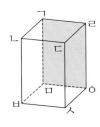

(   )

6
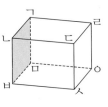

(   )

9
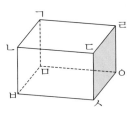

(   )

7
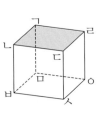

(   )

10
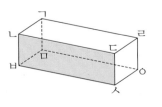

(   )

☀ 직육면체의 겨냥도를 바르게 그린 것에 ◯표, 아닌 것에 ✕표 하시오.

1

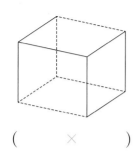

겨냥도에서
보이는 모서리는 실선으로,
보이지 않는 모서리는
점선으로 그려야 해.

(✕)

10

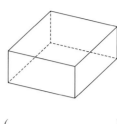

( )

2

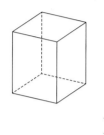

( )

6

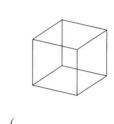

( )

11

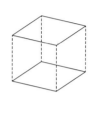

( )

3

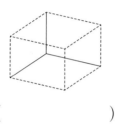

( )

7

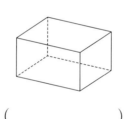

( )

12

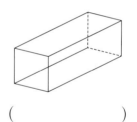

( )

4

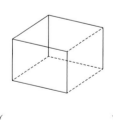

( )

8

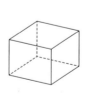

( )

13

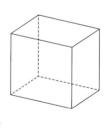

( )

5

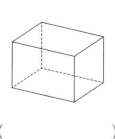

( )

9

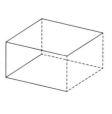

( )

14

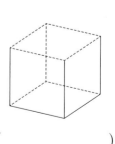

( )

5

직육면체

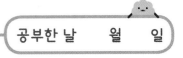

7 직육면체의 겨냥도 (2)

☀ 그림에서 빠진 부분을 그려 넣어 직육면체의 겨냥도를 완성하시오.

1
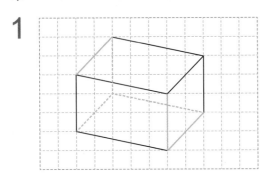

5
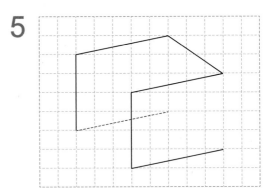

2
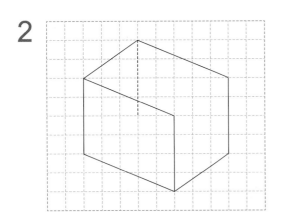

6
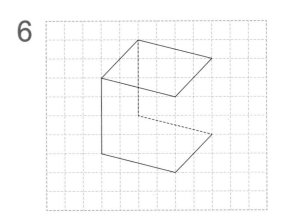

3
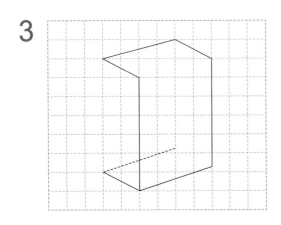

7
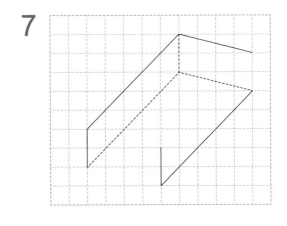

4
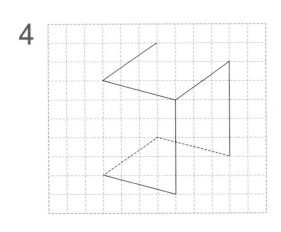

8
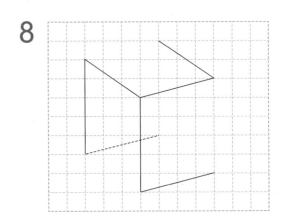

☀ 직육면체에서 보이는 모서리의 길이의 합은 몇 cm인지 구하시오. [1~6]

1
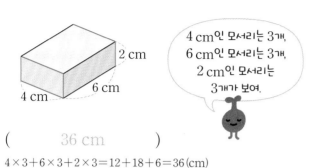

4 cm인 모서리는 3개,
6 cm인 모서리는 3개,
2 cm인 모서리는
3개가 보여.

(36 cm   )

4×3+6×3+2×3=12+18+6=36(cm)

4
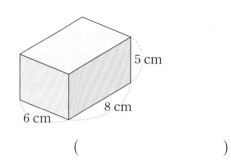

(   )

2
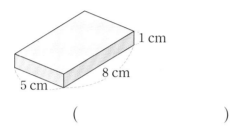

(   )

5
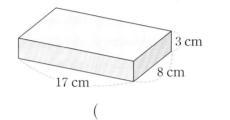

(   )

3
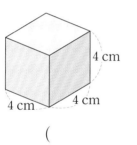

(   )

6
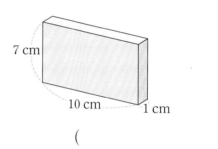

(   )

☀ 직육면체에서 보이지 않는 모서리의 길이의 합은 몇 cm인지 구하시오. [7~10]

7
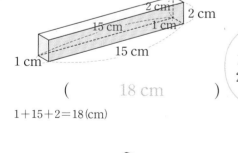

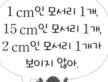

1 cm인 모서리 1개,
15 cm인 모서리 1개,
2 cm인 모서리 1개가
보이지 않아.

(18 cm   )

1+15+2=18(cm)

9
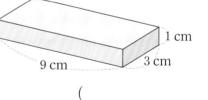

(   )

8
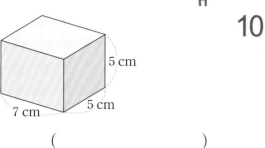

(   )

10
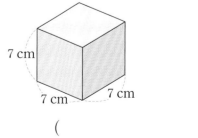

(   )

☀ 정육면체의 겨냥도를 보고 전개도를 그려 보시오.

1

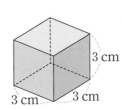

3 cm
3 cm 3 cm

⇩

1 cm
1 cm
예

2

2 cm
2 cm 2 cm

⇩

1 cm
1 cm

3

1 cm
1 cm 1 cm

⇩

1 cm
1 cm

4

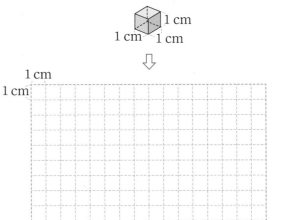

4 cm
4 cm 4 cm

⇩

1 cm
1 cm

모서리를 어떤 방법으로 자르는지에 따라 다양한 전개도를 그릴 수 있어.

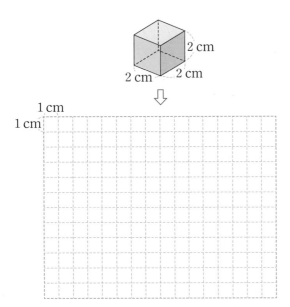

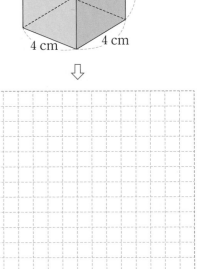

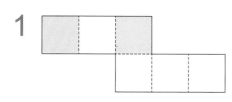

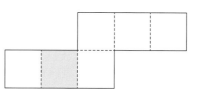

☀ 전개도를 접어서 정육면체를 만들었을 때 색칠한 면과 평행한 면에 색칠해 보시오. [1~6]

1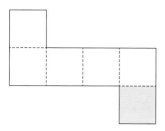

정육면체의 전개도에서 서로 평행한 면은 만나는 꼭짓점과 모서리가 없어.

4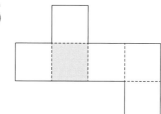

2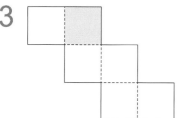

5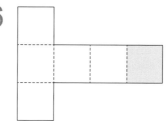

3

6

☀ 전개도를 접어서 정육면체를 만들었을 때 색칠한 면과 수직인 면에 모두 색칠해 보시오. [7~10]

7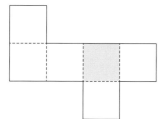

평행한 면이 아닌 면은 모두 수직인 면이야.

9

8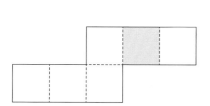

10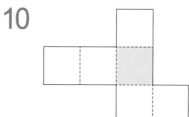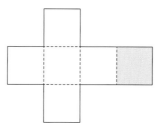

5

직육면체

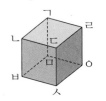

☀ 오른쪽과 같은 정육면체의 모서리를 잘라서 여러 가지 정육면체의 전개도를 만들었습니다. ☐ 안에 알맞은 기호를 써넣으시오.

1

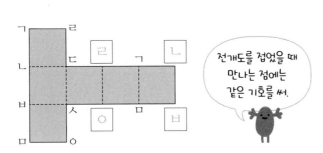

전개도를 접었을 때 만나는 점에는 같은 기호를 써.

2

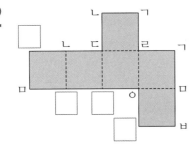

3

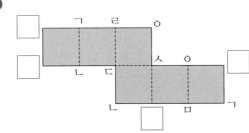

4

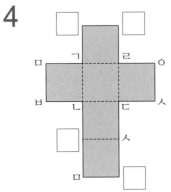

5

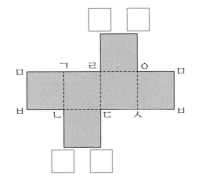

6

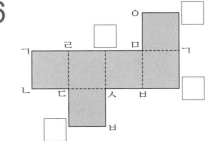

7

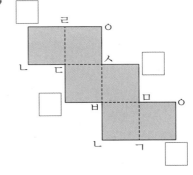

8

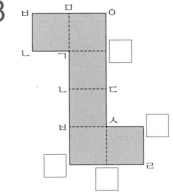

🌟 직육면체의 전개도로 바른 것에 ◯표, 틀린 것에 ✕표 하시오.

1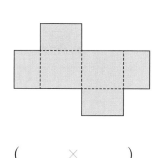

접었을 때 마주 보는
면끼리 모양이 같고,
맞닿는 모서리의 길이가
같아야해.

(✕   )

6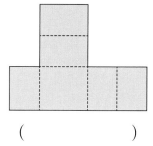

(   )

2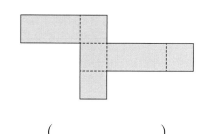

(   )

7

(   )

3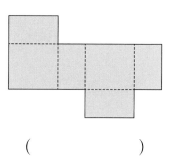

(   )

8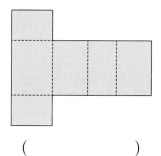

(   )

4

(   )

9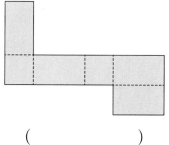

(   )

5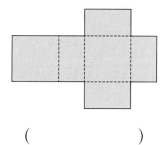

(   )

10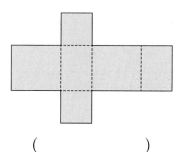

(   )

5

직육면체

☀ 직육면체의 전개도를 보고 물음에 답하시오.
[1~2]

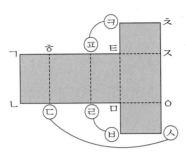

1 전개도를 접었을 때 점 ㅍ과 만나는 점을 써 보시오.

(　　　점 ㅋ　　　)

2 전개도를 접었을 때 선분 ㄷㄹ과 겹치는 선분을 찾아 써 보시오.

(　　　선분 ㅅㅂ　　　)

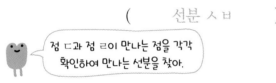
점 ㄷ과 점 ㄹ이 만나는 점을 각각 확인하여 만나는 선분을 찾아.

☀ 직육면체의 전개도를 보고 물음에 답하시오.
[3~4]

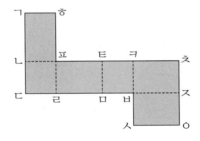

3 전개도를 접었을 때 점 ㅌ과 만나는 점을 써 보시오.

(　　　　　　　)

4 전개도를 접었을 때 선분 ㅊㅈ과 겹치는 선분을 찾아 써 보시오.

(　　　　　　　)

☀ 직육면체의 전개도를 보고 물음에 답하시오.
[5~6]

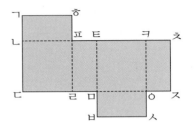

5 전개도를 접었을 때 점 ㄹ과 만나는 점을 써 보시오.

(　　　　　　　)

6 전개도를 접었을 때 선분 ㅋㅊ과 겹치는 선분을 찾아 써 보시오.

(　　　　　　　)

☀ 직육면체의 전개도를 보고 물음에 답하시오.
[7~8]

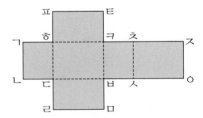

7 전개도를 접었을 때 점 ㄱ과 만나는 점을 모두 써 보시오.

(　　　　　　　)

8 전개도를 접었을 때 선분 ㅌㅍ과 겹치는 선분을 찾아 써 보시오.

(　　　　　　　)

☀ 직육면체를 보고 전개도를 그려 보시오.

1

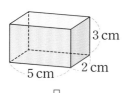

1 cm
1 cm
예

전개도를 그리고 난 후 모양과 크기가 같은 면이 3쌍 있는지, 접었을 때 만나는 모서리의 길이가 같은지, 겹치는면이 없는지 확인해 봐.

3

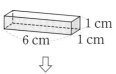

1 cm
1 cm

2

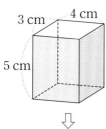

1 cm
1 cm

4

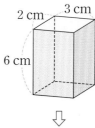

1 cm
1 cm

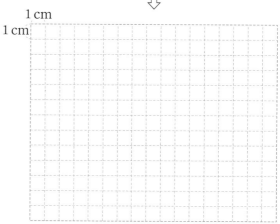

1 다음 중 직육면체를 찾아 기호를 쓰시오.

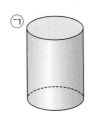 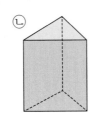 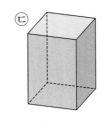

( )

· 직육면체는 직사각형 6개로 둘러싸인 도형입니다.

2 ☐ 안에 알맞은 말을 써넣으시오.

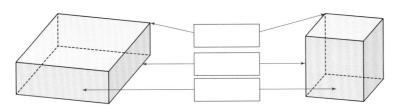

직육면체에서 선분으로 둘러싸인 부분을 면, 면과 면이 만나는 선분을 모서리, 모서리와 모서리가 만나는 점을 꼭짓점이라고 합니다.

☀ **직육면체에서 색칠한 면과 평행한 면을 찾아 쓰시오. [3~4]**

3

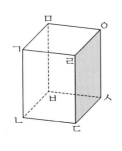

( )

4

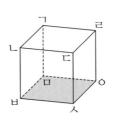

( )

· 계속 늘여도 만나지 않는 두 면을 서로 평행한 면이라고 합니다.

5 다음 중 직육면체의 겨냥도를 바르게 그린 것에 ◯표 하시오.

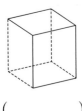 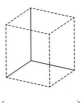 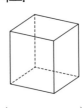

( ) ( ) ( ) ( )

· 겨냥도에서 보이는 모서리는 실선으로, 보이지 않는 모서리는 점선으로 표시합니다.

6 오른쪽 직육면체에서 길이가 같은 모서리는 몇 개씩 몇 쌍입니까?

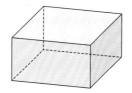

(   )

· 평행한 모서리의 길이는 모두 같습니다.

7 주사위의 전개도에서 마주 보는 면의 눈의 수의 합이 7이 되도록 빈 곳을 알맞게 채우시오.

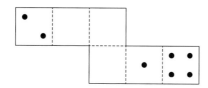

마주 보는 면을 찾고 주사위의 면을 채워.

8 오른쪽 그림은 왼쪽 직육면체의 전개도입니다. □ 안에 알맞은 수를 써넣으시오.

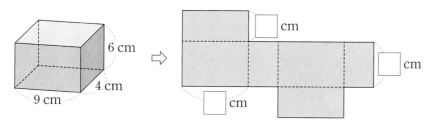

· 전개도를 접었을 때 겹치는 선분을 생각해 봅니다.

5
직육면체

✳ **오른쪽 직육면체의 전개도를 보고 물음에 답하시오. [9~10]**

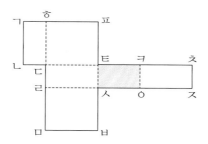

9 전개도를 접었을 때 색칠한 면과 수직이 되는 면에 모두 빗금을 그어 보시오.

· 색칠한 면과 평행한 면은 1개이고, 평행한 면이 아닌 면은 모두 색칠한 면과 수직이 됩니다.

10 전개도를 접었을 때 점 ㅁ과 만나는 점을 모두 쓰시오.

(   )

QR 코드를 찍어 보세요.
문제 생성기 새로운 문제를 계속 풀 수 있어요.

6 평균과 가능성

제6화 다트 맞히기

어? 이거 다트잖아?

어제 아빠가 사 오셨어.

나도 다트 잘하는데……

나보다 잘 할까?

좋아. 우리 다트해서 이긴 사람한테 떡볶이 사주기 어때?

그래 하자!

로봇 비빅이 심판해.

알았어. 각자 4번씩 던져서 평균으로 승부내는 거다.

평균?

평균은…….

$$(평균)=\frac{(자료의\ 값을\ 모두\ 더한\ 수)}{(자료의\ 수)}$$

좋아. 나부터!

탁

오~ 잘 던지는데.

잠시 후

평균을 낸 결과 둘이 동점!

음……. 막상막하군.

좋아. 다시 하자!

지지릿

치열한대.

점수 내기는 재미 없고 다른 걸로 어때?

이미 배운 내용	이번에 배울 내용	앞으로 배울 내용
[3-2 자료의 정리] • 자료의 정리 [4-1 막대그래프] • 막대그래프 [4-2 꺾은선그래프] • 꺾은선그래프	• 평균의 의미와 필요성 알기 • 여러 가지 방법으로 평균 구하기 • 일이 일어날 가능성을 말로 표현하기, 비교하기, 수로 표현하기	[6-1 비와 비율] • 비와 비율 [6-1 여러 가지 그래프] • 여러 가지 그래프

배운 것 확인하기

1 막대그래프로 나타내기

❋ 표를 보고 막대그래프로 나타내어 보시오.
[1~3]

1

좋아하는 과목별 학생 수

과목	수학	국어	영어	과학	합계
학생 수(명)	7	6	5	3	21

좋아하는 과목별 학생 수

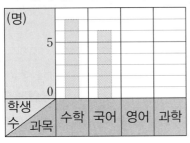

칸 수를 세어 막대를 그려.

2

학교에 있는 나무별 수

나무	은행나무	단풍나무	소나무	합계
나무의 수(그루)	13	15	10	38

학교에 있는 나무별 수

소나무	
단풍나무	
은행나무	

나무 / 나무의 수   0   5   10   15
(그루)

3

좋아하는 꽃별 학생 수

꽃	장미	수국	백합	합계
학생 수(명)	13	5	8	26

좋아하는 꽃별 학생 수

백합	
수국	
장미	

꽃 / 학생 수   0   5   10   15
(명)

2 막대그래프 해석하기

❋ 운동별 좋아하는 학생 수를 조사하여 막대그래프로 나타내었습니다. 물음에 답하시오. [1~5]

운동별 좋아하는 학생 수

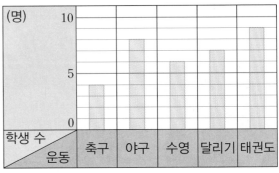

1 막대그래프에서 가로와 세로는 각각 무엇을 나타냅니까?

가로 (운동   )

세로 (학생 수   )

막대그래프를 읽을 때에는 먼저 가로와 세로에 각각 무엇을 나타내었는지 알아보도록 해.

2 막대그래프에서 세로 눈금 한 칸은 몇 명을 나타냅니까?

(   )

3 야구를 좋아하는 학생은 몇 명입니까?

(   )

4 가장 많은 학생들이 좋아하는 운동은 무엇입니까?

(   )

5 가장 적은 학생들이 좋아하는 운동은 무엇입니까?

(   )

✹ 콩나물의 키 변화를 조사하여 나타낸 꺾은선그래프입니다. 물음에 답하시오. [1~5]

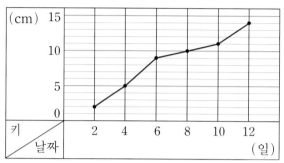

콩나물의 키

1 가로 눈금과 세로 눈금은 각각 무엇을 나타냅니까?

가로 (날짜   )

세로 (키   )

꺾은선그래프를 보면
자료의 변화 정도를 알 수 있어.

2 세로 눈금 한 칸의 크기는 몇 cm입니까?

(   )

3 이번 달 10일에 콩나물의 키는 몇 cm입니까?

(   )

4 콩나물의 키가 10 cm일 때는 며칠입니까?

(   )

5 이번 달 5일에 콩나물의 키는 약 몇 cm로 예상할 수 있습니까?

(   )

✹ 어느 마을의 초등학생 수를 조사하여 나타낸 꺾은선그래프입니다. 물음에 답하시오. [6~10]

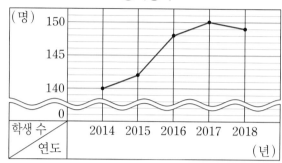

초등학생 수

6 세로 눈금 한 칸의 크기는 몇 명입니까?

(   )

7 조사한 기간 중 초등학생 수가 가장 많은 때는 몇 년입니까?

(   )

8 2015년의 초등학생은 몇 명입니까?

(   )

9 초등학생 수가 줄어든 때는 몇 년과 몇 년 사이입니까?

(   )

10 전 연도에 비해 초등학생 수의 변화가 가장 큰 때는 몇 년입니까?

(   )

6

평균과 가능성

☀ 자료를 모형으로 나타낸 것입니다. 모형을 고르게 하여 평균을 구하시오. [1~4]

☀ 표를 막대그래프로 나타내고, 막대의 높이를 고르게 하여 평균을 구하시오. [5~7]

1 학생별 제기차기 기록(개)

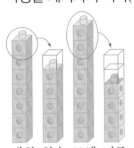

모형의 수가 고르게 되도록 옮겨 봐.

재희 현수 도혜 민주

(6개   )

2 서진이가 받은 칭찬 도장의 수(개)

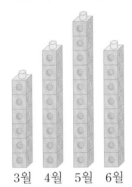

3월 4월 5월 6월

(   )

3 가지고 있는 구슬의 수(개)

가영 예서 영민 세린

(   )

4 경기별 점수(점)

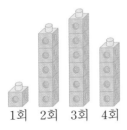

1회 2회 3회 4회

(   )

5
요일별 강수량

요일	월	화	수	목	금
강수량(mm)	10	12	8	11	9

요일별 강수량

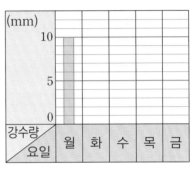

(   )

6
마을별 초등학교 수

마을	별빛	햇빛	소만	서정
초등학교 수(개)	3	5	4	4

마을별 초등학교 수

(   )

7
모둠별 학생 수

	모둠 1	모둠 2	모둠 3	모둠 4	모둠 5
학생 수(명)	8	5	6	11	10

모둠별 학생 수

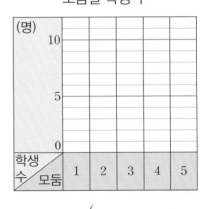

(   )

② 평균 구하기 ⑵ – 표를 보고 평균 구하기

☀ 표를 보고 평균을 구하시오.

1 모둠별 학생 수

	모둠 1	모둠 2	모둠 3	모둠 4	모둠 5
학생 수(명)	7	5	6	8	4

(6명)

> 평균은 자료의 값을 모두 더하여 자료의 수로 나누어 구해.

$$\frac{7+5+6+8+4}{5}=\frac{30}{5}=6(명)$$

2 반별 학생 수

학급(반)	1	2	3	4	5
학생 수(명)	26	25	24	24	26

( )

3 요일별 공부한 시간

요일	월	화	수	목	금
시간(분)	72	83	76	89	75

( )

4 50 m 달리기 기록

이름	준서	민주	석훈	소연	헌유
기록(초)	9	10	12	10	9

( )

5 요일별 최고 기온

요일	월	화	수	목	금
기온(℃)	10	8	6	7	9

( )

6 과목별 점수

과목	수학	국어	영어	과학	사회
점수(점)	85	90	80	70	75

( )

7 넘어뜨린 볼링 핀 수

이름	영수	진희	나현	주미	한솔
넘어뜨린 볼링 핀 수(개)	9	7	4	2	8

( )

8 윗몸 말아 올리기 기록

회	1회	2회	3회	4회	5회
윗몸 말아 올리기 기록(번)	28	30	34	32	26

( )

9 줄넘기 기록

회	1회	2회	3회	4회	5회
줄넘기 기록(번)	12	11	13	12	12

( )

10 월별 방문자 수

월	3	4	5	6	7
방문자 수(명)	140	100	80	160	120

( )

6 평균과 가능성

3 평균 구하기 (3)

1 찬훈이네 모둠 학생들이 구운 쿠키의 수입니다. 구운 쿠키 수의 평균은 몇 개입니까?

4개	5개	8개	4개
6개	2개	7개	4개

(5개   )

자료가 모두 몇 개인지 꼭 세어야 해.

(자료의 값의 합)
=4+5+8+4+6+2+7+4=40(개)
(자료의 수)=8개
⇨ (평균)=$\frac{40}{8}$=5(개)

2 민희네 모둠 학생들의 몸무게입니다. 몸무게의 평균은 몇 kg입니까?

42 kg	39 kg	43 kg
52 kg	40 kg	42 kg

(   )

3 은빛이와 친구들의 키입니다. 키의 평균은 몇 cm입니까?

153 cm	147 cm	160 cm
150 cm	145 cm	145 cm

(   )

4 민수네 모둠 학생들이 가지고 있는 연필의 수입니다. 연필의 수의 평균은 몇 자루입니까?

6자루	2자루	8자루	5자루
9자루	10자루	9자루	

(   )

5 은서네 모둠 친구들의 수학 점수입니다. 수학 점수의 평균은 몇 점입니까?

50점	47점	28점	90점
84점	95점	46점	80점

(   )

6 연정이네 반 여학생들의 수행평가 점수입니다. 수행평가 점수의 평균은 몇 점입니까?

15점	10점	12점	20점
20점	10점	18점	15점

(   )

7 민현이와 친구들이 1분 동안 한 줄넘기 횟수입니다. 줄넘기 횟수의 평균은 몇 번입니까?

42번	51번	40번
42번	20번	33번

(   )

8 세미가 친구들과 볼링을 하여 쓰러뜨린 볼링 핀의 수입니다. 쓰러뜨린 볼링 핀 수의 평균은 몇 개입니까?

8개	4개	8개	2개
9개	6개	10개	9개

(   )

☀ 각 모둠별 평균을 차례로 구하고 평균이 가장 높은 모둠은 몇 모둠인지 구하시오.

1 모둠별 학생 수와 도서 대출 책 수

	모둠 1	모둠 2	모둠 3
학생 수(명)	4	5	3
도서 대출 책 수(권)	16	15	15

┌16÷4=4   ┌15÷5=3   ┌15÷3=5
(4권), (3권), (5권)

평균이 가장 높은 모둠 (모둠 3)

 모둠별 학생 수가 다르지만
평균을 이용하여 비교할 수 있어.

2 모둠별 학생 수와 칭찬 도장 수

	모둠 1	모둠 2	모둠 3
학생 수(명)	6	8	7
칭찬 도장 수(개)	42	64	35

(   ), (   ), (   )

평균이 가장 높은 모둠 (   )

3 모둠별 학생 수와 과제 점수

	모둠 1	모둠 2	모둠 3
학생 수(명)	4	3	6
과제 점수(점)	48	39	60

(   ), (   ), (   )

평균이 가장 높은 모둠 (   )

4 모둠별 학생 수와 먹은 사탕 수

	모둠 1	모둠 2	모둠 3
학생 수(명)	7	8	5
사탕수(개)	91	96	70

(   ), (   ), (   )

평균이 가장 높은 모둠 (   )

5 모둠별 학생 수와 먹은 우유의 양

	모둠 1	모둠 2	모둠 3
학생 수(명)	5	4	7
우유의 양(mL)	900	640	1330

(   ), (   ), (   )

평균이 가장 높은 모둠 (   )

6 모둠별 학생 수와 독후감 수

	모둠 1	모둠 2	모둠 3
학생 수(명)	5	6	4
독후감 수(개)	25	24	16

(   ), (   ), (   )

평균이 가장 높은 모둠 (   )

7 모둠별 학생 수와 먹은 귤 수

	모둠 1	모둠 2	모둠 3
학생 수(명)	8	7	9
귤 수(개)	56	63	72

(   ), (   ), (   )

평균이 가장 높은 모둠 (   )

8 모둠별 학생 수와 사용한 리본의 길이

	모둠 1	모둠 2	모둠 3
학생 수(명)	4	3	5
리본 길이(cm)	528	390	640

(   ), (   ), (   )

평균이 가장 높은 모둠 (   )

6

평균과 가능성

☀ 표를 보고 빈칸에 알맞은 수를 써넣으시오.

1

실내 온도

시각	오전 10시	낮 12시	오후 2시	오후 4시	평균
기온(℃)	11	18	22	13	16

(실내 온도의 합)=16×4=64(℃)
(오후 2시의 실내 온도)=64−11−18−13
    =22(℃)

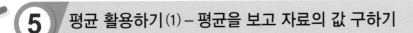

먼저 평균을
이용해서 자료의 값의
합을 구해.

2

반별 학생 수

학급(반)	1반	2반	3반	4반	평균
학생 수(명)	24	30	27		26

3

타자 기록

주	첫째	둘째	셋째	넷째	평균
기록(타)	130	120		135	125

4

재희의 성적

과목	국어	수학	사회	과학	평균
점수(점)	80		84	88	86

5

4일 동안 섭취한 열량

일	1	2	3	4	평균
열량(kcal)	1800	2150	1950		2000

6

경기별 얻은 점수

경기	첫 번째	두 번째	세 번째	네 번째	평균
점수(점)	105		95	104	104

7

4일간 설탕 판매량

일	15	16	17	18	평균
판매량(kg)		240	210	160	190

8

과목별 공부 시간

과목	수학	국어	영어	한자	평균
시간(시간)	12	9		8	9

9

분야별 책 대여 권 수

분야	소설	위인전	과학책	기타	평균
권 수(권)	121	84	97		83

10

지점별 자동차 판매량

지점	가	나	다	라	평균
판매량(대)		1800	700	2100	1750

☀ 두 팀이 경기를 하여 얻은 점수를 기록한 표입니다. 두 팀의 점수의 평균이 같을 때, 빈칸에 알맞은 수를 써넣으시오.

1

형민이네 농구 팀의 점수

경기(회)	1	2	3	4
점수(점)	63	42	55	40

지수네 농구 팀의 점수

경기(회)	1	2	3	4	5
점수(점)	60	41	58	42	49

(형민이네 농구 팀의 평균 점수)

$= \dfrac{63+42+55+40}{4} = \dfrac{200}{4} = 50$(점)

(지수네 농구 팀 점수의 합)$= 50 \times 5 = 250$(점)

⇨ (지수네 농구 팀의 4회 점수)

　$= 250-60-41-58-49 = 42$(점)

형민이네 농구 팀의 평균을 먼저 구해.

4

서준이네 사격 팀 점수

경기(회)	1	2	3	4
점수(점)	86	77	92	81

우주네 사격 팀 점수

경기(회)	1	2	3	4	5
점수(점)	70	84	96	80	

2

수영이네 축구 팀의 점수

경기(회)	1	2	3	4
점수(점)	2	1	3	2

진아네 축구 팀의 점수

경기(회)	1	2	3	4	5
점수(점)	1		2	0	3

5

시언이네 양궁 팀 점수

경기(회)	1	2	3	4
점수(점)	64	50	44	62

나래네 양궁 팀 점수

경기(회)	1	2	3	4	5
점수(점)	50	42		66	58

3

현아네 농구 팀의 점수

경기(회)	1	2	3	4
점수(점)	101	84	99	104

애라네 농구 팀의 점수

경기(회)	1	2	3	4	5
점수(점)		105	82	94	110

6

미라네 사격 팀 점수

경기(회)	1	2	3	4
점수(점)	94	89	91	82

민혜네 사격 팀 점수

경기(회)	1	2	3	4	5
점수(점)	90		85	98	78

1 연재의 5회까지의 시험 점수 평균은 65점입니다. 6회의 시험 점수가 95점이라면 6회까지의 시험 점수 평균은 몇 점입니까?

(70점   )

(5회까지 시험 결과의 합)=$65 \times 5 = 325$(점)

(6회까지의 시험 결과 평균)=$\dfrac{325+95}{6}=\dfrac{420}{6}=70$(점)

5회까지의 평균을 알면 5회까지의 시험 결과 합도 알 수 있어.

2 재웅이는 4일 동안 줄넘기를 평균 120번 넘었습니다. 5일째에 줄넘기를 150번 했다면 5일 동안의 줄넘기 평균은 몇 번입니까?

(   )

3 6일 동안의 인터넷 사용 시간 평균이 48분이었습니다. 7일째에 34분 사용했다면 7일 동안 인터넷 사용 시간 평균은 몇 분입니까?

(   )

4 농구팀 3명의 키의 평균은 168 cm입니다. 농구팀에 키가 176 cm인 학생이 한 팀이 되었다면 농구팀 4명의 키의 평균은 몇 cm입니까?

(   )

5 5회까지 맞힌 화살 수의 평균은 8개입니다. 6회에 맞힌 화살의 수가 2개라면 6회까지 맞힌 화살의 수의 평균은 몇 개입니까?

(   )

6 제과점에서 6일 동안 판매한 케이크 수의 평균이 13개입니다. 7일째에 판매한 케이크의 수가 27개라면 7일 동안 판매한 케이크 수의 평균은 몇 개입니까?

(   )

7 4회까지의 달리기 기록의 평균은 11초입니다. 5회의 달리기 기록이 11초라면 5회까지의 달리기 기록 평균은 몇 초입니까?

(   )

8 9회까지의 멀리 던지기 기록의 평균은 137 cm입니다. 10회의 멀리 던지기 기록이 147 cm라면 10회까지의 멀리 던지기 기록의 평균은 몇 cm입니까?

(   )

☀ 일이 일어날 가능성을 찾아 이어 보시오.

1

주사위를 굴리면 주사위 눈의 수가 5보다 작은 수가 나올 것입니다.

빨간색 구슬 10개, 파란색 구슬 1개가 들어 있는 주머니에서 꺼낸 구슬은 파란색일 것입니다.

동전을 던져 숫자 면이 나올 것입니다.

오늘은 화요일이므로 내일은 토요일일 것입니다.

내일 아침에 동쪽에서 해가 뜰 것입니다.

확실하다

~일 것 같다

반반이다

~아닐 것 같다

불가능하다

가능성은 어떤 상황에서 특정한 일이 일어나길 기대하는 정도를 말해. 주사위에 있는 수는 1부터 6까지니까 5보다 작은 수가 나올 것 같아.

2

은행에서 뽑은 번호표의 번호가 짝수일 것입니다.

오늘 구름이 많이 끼어서 비가 올 것입니다.

1년은 12달입니다.

해가 쨍쨍 하니까 비가 올 것입니다.

주사위를 굴리면 주사위 눈의 수가 7이 나올 것입니다.

확실하다

~일 것 같다

반반이다

~아닐 것 같다

불가능하다

6

평균과 가능성

☀ 회전판 돌리기에서 화살이 빨간색에 멈출 가능성이 더 높은 것을 찾아 기호를 쓰시오. [1~6]

1 가   나

(   )

가 회전판: 반반이다.
나 회전판: ~ 아닐 것 같다.

4 가   나

(   )

빨간색이
더 넓은 회전판의
가능성이 더 높아.

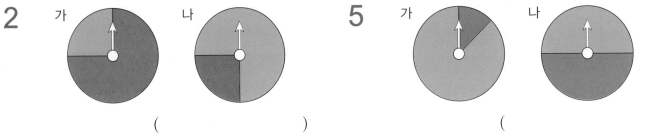

2 가   나

(   )

5 가   나

(   )

3 가   나

(   )

6 가   나

(   )

☀ 회전판 돌리기에서 화살이 파란색에 멈출 가능성이 높은 순서대로 기호를 쓰시오. [7~8]

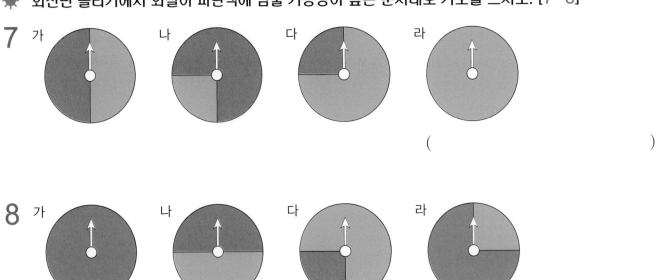

7 가   나   다   라

(   )

8 가   나   다   라

(   )

10 일이 일어날 가능성⑶ – 가능성을 수$(0, \frac{1}{2}, 1)$로 표현하기

☀ 일이 일어날 가능성을 수로 표현해 보시오.

1 검은색 바둑돌이 들어 있는 통에서 바둑돌 1개를 꺼낼 때, 꺼낸 바둑돌이 흰색일 가능성

(0   )

검은색 바둑돌이 들어 있는 통에서 바둑돌 1개를 꺼낼 때 흰색 바둑돌이 나올 가능성은 '불가능하다'입니다.

'불가능하다'는 0, '반반이다'는 $\frac{1}{2}$,
'확실하다'는 1로 표현할 수 있어.

2 ○×문제를 풀 때 ×로 답하여 정답일 가능성

(   )

3 흰색 바둑돌이 들어 있는 통에서 바둑돌 1개를 꺼낼 때, 꺼낸 바둑돌이 흰색일 가능성

(   )

4 주사위를 굴렸을 때 주사위의 눈의 수가 8일 가능성

(   )

5 노란색 구슬 6개가 들어 있는 주머니에서 구슬 1개를 꺼낼 때, 꺼낸 구슬이 노란색일 가능성

(   )

6 하트 카드 3장, 별 카드 3장을 섞어 한 장을 골랐을 때, 고른 카드가 하트 카드일 가능성

(   )

7 주사위를 굴렸을 때 주사위의 눈의 수가 홀수일 가능성

(   )

8 검은색 바둑돌이 들어 있는 통에서 바둑돌 1개를 꺼낼 때, 꺼낸 바둑돌이 검은색일 가능성

(   )

9 파란 구슬 1개, 빨간 구슬 1개가 들어 있는 주머니에서 구슬 1개를 꺼낼 때, 꺼낸 구슬이 초록색일 가능성

(   )

10 구슬 8개가 들어 있는 주머니에서 손에 잡히는대로 구슬을 꺼냈을 때, 꺼낸 구슬의 개수가 짝수일 가능성

(   )

1 영지네 학교 5학년 반별 학생 수를 나타낸 표입니다. 반별 학생 수는 평균 몇 명입니까?

학급(반)	1	2	3	4	5
학생 수(명)	27	24	28	26	25

(   )

• (평균)

$$= \frac{(자료의\ 값을\ 모두\ 더한\ 수)}{(자료의\ 수)}$$

2 일이 일어날 가능성을 생각해 보고, 알맞게 표현한 곳에 ◯표 하시오.

일＼가능성	불가능하다	~아닐 것 같다	반반이다	~일 것 같다	확실하다
7과 2를 곱하면 14가 될 것이다.					
12월보다 8월에 비가 더 많이 올 것이다.					
오늘 월요일이니까 내일은 금요일일 것이다.					

• 가능성의 정도는 불가능하다, ~아닐 것 같다, 반반이다, ~일 것 같다, 확실하다 등으로 표현할 수 있습니다.

3 쓰러뜨린 볼링 핀의 수를 종이띠로 나타내어 겹치지 않게 이은 것입니다. 종이띠를 보고 쓰러뜨린 볼링 핀 수의 평균을 구하시오.

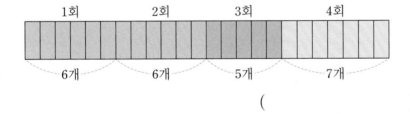

(   )

• 평균은 자료의 값을 모두 더한 후 자료의 수로 나누어 구할 수 있습니다.

4 표를 보고 빈칸에 알맞은 수를 써넣으시오.

100 m 달리기 기록

이름	진호	영지	재희	수하	평균
기록(초)	16	20	17		17

달리기 기록의 합을 먼저 구해.
(달리기 기록의 합)
＝(평균)×4

✹ 주머니 속에 숫자 카드 1 , 2 , 3 , 4 4장이 들어 있습니다. 그 중에서 1장을 꺼낼 때 물음에 답하시오. [5~6]

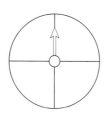

짝수 카드 2장, 홀수 카드 2장이 있으니까 짝수 카드를 꺼낼 가능성은 '반반이다'야.

5 꺼낸 카드가 짝수일 가능성을 수로 표현해 보시오.

(   )

6 꺼낸 카드가 홀수일 가능성을 수로 표현해 보시오.

(   )

· 확실하다 ⇨ 1
  반반이다 ⇨ $\frac{1}{2}$
  불가능하다 ⇨ 0

✹ 재희와 영지가 투호를 한 결과입니다. 물음에 답하시오. [7~8]

재희의 투호 놀이 기록

회	1회	2회	3회	4회
기록(개)	7	6	3	8

영지의 투호 놀이 기록

회	1회	2회	3회	4회	5회
기록(개)	4	10	8	8	5

7 재희와 영지의 투호 놀이 기록의 평균을 각각 구하시오.

재희 (   ), 영지 (   )

· 두 사람의 놀이 횟수가 다름을 확인하고 평균을 구합니다.

8 재희와 영지 중 누가 투호를 더 잘했다고 말할 수 있습니까?

(   )

· 놀이 횟수가 다른 경우 평균 으로 비교할 수 있습니다.

9 조건에 알맞은 회전판이 되도록 색칠해 보시오.

조건
· 회전판에는 빨간색과 파란색만 있습니다.
· 화살이 파란색과 빨간색에 멈출 가능성이 같습니다.

· 두 색의 가능성이 같으므로 각 색에 멈출 가능성은 '반반 이다'입니다.

QR 코드를 찍어 보세요.

문제 생성기 새로운 문제를 계속 풀 수 있어요.

IPCC,
"지구 기온 상승 1.5 ℃로 막아라!"

지구 기온 상승을 1.5 ℃ 이내로 억제해야 환경 재앙을 막을 수 있다는 기후 변화 전문가들의 보고서가 2018년 10월, 195개 회원국 만장일치로 채택됐어요. 기후 변화에 관한 정부 간 협의체(*IPCC)의 기후 변화 제한 목표치를 과거의 2 ℃에서 1.5 ℃로 높여 잡은 것이지요. 보고서에서 전문가들은 지구 온도가 1.5 ℃ 상승했을 때와 2 ℃ 이상 오를 때의 차이가 분명하다고 결론 내렸어요.

이 보고서는 지구의 기온이 2 ℃ 이상 오르면 폭염 같은 극한 기후 현상이 늘고, 식물의 16 %, 척추동물의 8 %가 멸종할 것으로 예측하고 있어요. 특히 기온이 2 ℃ 이상 상승했을 때 지구 육지 면적의 약 13 %는 지금과 완전히 다른 유형의 생태계로 바뀔 것으로 예상됐답니다. 이를 막기 위해 기온 상승을 1.5 ℃까지로 제한해 보자는 것이지요. 그러기 위해서는 2030년까지 이산화 탄소 배출량을 2010년(420억 t) 대비 최소 45 % 줄여야 한대요.

IPCC는 '1.5 ℃ 제한'은 과학적으로는 가능한 목표이지만, 이를 이루려면 나라마다 산림 가꾸기, 탄소를 줄이기 위한 기술 개발, 재생 에너지 사용 늘리기 등 모든 노력을 기울여야 한다고 강조했어요.

*IPCC 기후 변화로 나타나는 지구의 환경 문제를 조사하고, 이에 대한 대책을 마련하기 위해 각 나라의 다양한 분야 전문가들이 모여 만든 국제 단체. 지구 온난화의 심각성을 널리 알리고 기후 변화 문제를 해결하기 위한 노력을 인정받아 2007년에 노벨 평화상을 수상했다.

「월간 우등생과학 2018년 12월호」에서 발췌

계산박사

POWER

정답지

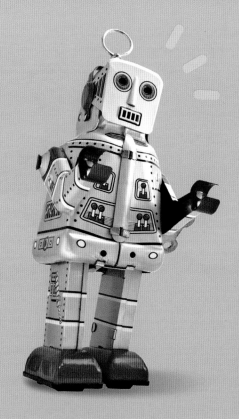

10/단계

천재교육

1 수의 범위와 어림하기

6~7쪽
1. 51, 53 2. 60, 62 3. 77, 79
4. 98, 100 5. 80 6. 95
7. 57, 59 8. 74, 75 9. 89, 90

---

1. < 2. > 3. > 4. <
5. > 6. < 7. < 8. <
9. 19, 14, 12 10. 52, 48, 41
11. 79, 72, 67

---

1. 더에 ◯표, 2 2. 못에 ◯표, 6
3. 더에 ◯표, 4 4. 예 3 cm, 3 cm
5. 예 6 cm, 6 cm 6. 예 4 cm, 4 cm

---

1. 4 2. 4 3. 2
4. 3 5. 2

8쪽
1. 6, 7, 8에 ◯표
2. 10, 11, 12에 ◯표
3. 16, 17, 18, 19에 ◯표
4. 25.4, 31.1, 24에 ◯표
5. 32, 34.6, 32.1, 36에 ◯표
6. 51.2, 40, 40.4, 45에 ◯표
7. (30 31 32 **33** 34 35 36 37)
8. (67 68 69 70 71 **72** 73 74)
9. (80.2 80.3 **80.4** 80.5 80.6 80.7 80.8)
10. (53 **54** 55 56 57 58 59 60)
11. (9.48 9.49 **9.50** 9.51 9.52 9.53 9.54)
12. (63.6 63.7 63.8 **63.9** 64.0 64.1 64.2)

9쪽
1. 3, 4, 5, 6에 ◯표
2. 8, 9, 10, 11에 ◯표
3. 22, 23, 24에 ◯표
4. 14, 15, 10.1에 ◯표
5. 29.2, 40, 43, 41에 ◯표
6. 37, 31, 35, 17.2에 ◯표
7. (15 16 **17** 18 19 20 21 22)
8. (49 50 51 52 53 **54** 55 56)
9. (66.5 66.6 66.7 **66.8** 66.9 67.0 67.1)
10. (27 28 29 **30** 31 32 33 34)
11. (39.8 39.9 40.0 **40.1** 40.2 40.3 40.4)
12. (29.0 29.1 29.2 29.3 29.4 **29.5** 29.6)

10쪽
1. 5, 6, 7에 ◯표
2. 9, 10, 11에 ◯표
3. 16, 17에 ◯표
4. 30.2, 28에 ◯표
5. 41.2, 50, 39.1에 ◯표
6. 52.7, 55, 52.2, 61에 ◯표
7. (19 20 **21** 22 23 24 25 26 27)
8. (71 72 73 74 **75** 76 77 78)
9. (30.3 **30.4** 30.5 30.6 30.7 30.8 30.9)
10. (98 **99** 100 101 102 103 104)
11. (13.2 13.3 13.4 13.5 13.6 **13.7** 13.8)
12. (65.8 65.9 **66.0** 66.1 66.2 66.3 66.4)

11쪽
1. 1, 2, 3에 ◯표
2. 11, 12, 13에 ◯표
3. 25, 26에 ◯표
4. 44, 37.2, 24에 ◯표
5. 28.5, 19.2, 23, 30.9에 ◯표
6. 57.4, 42, 39.6, 59.8에 ◯표
7. (7 8 **9** 10 11 12 13 14)
8. (46 47 48 49 50 51 **52** 53)
9. (16.9 17.0 17.1 **17.2** 17.3 17.4 17.5)
10. (79 80 81 82 83 **84** 85 86)
11. (10.4 10.5 **10.6** 10.7 10.8 10.9 11.0)
12. (41.5 41.6 **41.7** 41.8 41.9 42.0 42.1)

12쪽
1. 9, 10, 11, 12에 ◯표
2. 15, 21.3, 18에 ◯표
3. 25, 22.6, 23에 ◯표
4. 32, 33, 34에 ◯표
5. 34, 38.6, 39에 ◯표

6. 19.8, 29, 21에 ◯표

7.
```
  4   5   6   7   8   9   10  11
```

8.
```
 12  13  14  15  16  17  18  19
```

9.
```
 16  17  18  19  20  21  22  23
```

10.
```
 20  21  22  23  24  25  26  27
```

11.
```
 22  23  24  25  26  27  28  29
```

12.
```
 32  33  34  35  36  37  38  39
```

13쪽

1. 14, 15에 ◯표

2. 22, 25, 27에 ◯표

3. 35, 39.8, 38에 ◯표

4. 27, 28, 29, 30에 ◯표

5. 42, 43.9에 ◯표

6. 60.9, 58, 59.2에 ◯표

7.
```
  5   6   7   8   9   10  11  12
```

8.
```
  7   8   9   10  11  12  13  14
```

9.
```
 11  12  13  14  15  16  17  18
```

10.
```
 28  29  30  31  32  33  34  35
```

11.
```
 32  33  34  35  36  37  38  39
```

12.
```
 47  48  49  50  51  52  53  54
```

14쪽

1. 20, 21, 22에 ◯표

2. 9, 10, 11, 12에 ◯표

3. 34, 38, 36.5에 ◯표

4. 55, 60, 58.2에 ◯표

5. 72.4, 73, 71.5에 ◯표

6. 82.6, 85, 86에 ◯표

7.
```
  7   8   9   10  11  12  13  14
```

8.
```
 13  14  15  16  17  18  19  20
```

9.
```
 22  23  24  25  26  27  28  29
```

10.
```
 46  47  48  49  50  51  52  53
```

11.
```
 55  56  57  58  59  60  61  62
```

12.
```
 65  66  67  68  69  70  71  72
```

15쪽

1. 14, 15, 16에 ◯표 **2.** 4, 5에 ◯표

3. 24.7, 23, 22.1에 ◯표

4. 34, 31.3, 35에 ◯표

5. 50.8, 51.1, 49에 ◯표

6. 65, 64.5, 63에 ◯표

7.
```
  6   7   8   9   10  11  12  13
```

8.
```
 10  11  12  13  14  15  16  17
```

9.
```
 15  16  17  18  19  20  21  22
```

10.
```
 18  19  20  21  22  23  24  25
```

11.
```
 22  23  24  25  26  27  28  29
```

12.
```
 36  37  38  39  40  41  42  43
```

16쪽

1.
```
 22  23  24  25  26  27  28  29
```
; 24, 25, 26, 27, 28

2.
```
 55  56  57  58  59  60  61  62
```
; 58, 59, 60

3.
```
  8   9   10  11  12  13  14  15
```
; 9, 10, 11, 12, 13, 14

4.
```
 67  68  69  70  71  72  73  74
```
; 71, 72

5.
```
 12  13  14  15  16  17  18  19
```
; 13, 14, 15

6.
```
 31  32  33  34  35  36  37  38
```
; 32, 33, 34, 35, 36

7.
```
 43  44  45  46  47  48  49  50
```
; 47, 48, 49

8.
```
 27  28  29  30  31  32  33  34  35
```
; 29, 30, 31, 32

9.
```
 11  12  13  14  15  16  17  18
```
; 15, 16, 17

10.
```
 38  39  40  41  42  43  44  45
```
; 40, 41, 42

11.
```
 46  47  48  49  50  51  52  53
```
; 47, 48, 49, 50, 51

12.
```
 64  65  66  67  68  69  70  71
```
; 67, 68

17쪽

1. 3, 4, 5 **2.** 10, 11, 12

3. 29, 30 **4.** 19, 20, 21, 22

5. 60, 61, 62, 63, 64

6. 22, 23, 24 **7.** 36, 37, 38

8. 41, 42　　　**9.** 59, 60, 61, 62

10. 32, 33, 34　　**11.** 28, 29, 30, 31

12. 79, 80　　　**13.** 98, 99, 100

14. 73, 74, 75, 76

18쪽　**1.** 초과, 이하　　**2.** 이상, 이하

3. 이상, 미만　　**4.** 초과, 미만

5. 이상, 미만　　**6.** 초과, 이하

7. 초과, 미만

8. 47 이상 50 미만인 수

9. 31 이상 37 이하인 수

10. 27 초과 29 미만인 수

11. 88 초과 90 이하인 수

12. 26 이상 29 이하인 수

13. 19 초과 20 이하인 수

14. 65 이상 69 미만인 수

19쪽　**1.** 페더급　**2.** 플라이급　**3.** 밴텀급

4. 밴텀급　**5.** 라이트급　**6.** 핀급

7. 5000원　**8.** 9500원　**9.** 7500원

10. 5000원　**11.** 6000원　**12.** 12000원

20쪽　**1.** 190　　**2.** 110　　**3.** 500

4. 9000　**5.** 800　　**6.** 440

7. 1520　**8.** 900　　**9.** 6000

10. 4000　**11.** 1.4　　**12.** 10.4

13. 8.95　**14.** 0.79　**15.** 4.85

16. 6.8

21쪽　**1.** 700, 800　　　**2.** 160, 170

3. 2300, 2400　　**4.** 4000, 5000

5. 1440, 1450　　**6.** 1390, 1400

7. 5000, 6000　　**8.** 380, 390

9. 1900, 2000　　**10.** 70, 80

11. 3700, 3800　**12.** 1000, 2000

22쪽　**1.** 300　　**2.** 1620　**3.** 400

4. 7100　**5.** 2000　**6.** 1440

7. 200　　**8.** 770　　**9.** 3000

10. 5000　**11.** 4.2　　**12.** 1.47

13. 10.5　**14.** 5.2　　**15.** 7.48

16. 0.81

23쪽　**1.** 240, 250　　　**2.** 1500, 1600

3. 1120, 1130　　**4.** 4000, 5000

5. 2000, 2100　　**6.** 750, 760

7. 6000, 7000　　**8.** 3400, 3410

9. 3400, 3500　　**10.** 500, 600

11. 20, 30　　　　**12.** 13000, 14000

24쪽　**1.** 810　　**2.** 1270　　**3.** 600

4. 3900　**5.** 9000　　**6.** 48000

7. 70000　**8.** 4000　　**9.** 950

10. 17000　**11.** 5.5　　**12.** 1.29

13. 10.7　**14.** 4.22　　**15.** 2.76

16. 15.4

25쪽　**1.** 35, 45　　　**2.** 1050, 1150

3. 335, 345　　　**4.** 4500, 5500

5. 1950, 2050　　**6.** 750, 850

7. 2500, 3500　　**8.** 48150, 48250

9. 3195, 3205　　**10.** 315, 325

11. 19500, 20500

12. 5350, 5450

26쪽　**1.** 220, 210, 220

2. 7700, 7600, 7600

3. 86000, 86000, 86000

4. 350, 340, 350

5. 700, 600, 600

6. 5000, 4000, 5000

7. 24100, 24000, 24100

8. 40000, 30000, 30000

9. 2000, 1000, 2000

10. 50000, 40000, 50000

11. 58, 57, 58　　**12.** 4.6, 4.5, 4.5

13. 1.83, 1.82, 1.83

14. 7.2, 7.1, 7.2

27쪽　**1.** 34000원　**2.** 29대　　**3.** 59 kg

4. 45상자　**5.** 5000원　**6.** 8개

7. 8상자　　**8.** 25대　　**9.** 48 m

10. 14묶음

28~29쪽

1. 25, 26, 27, 28에 △표, 29, 30, 31에 ○표
2. 3개
3. ![수직선 그림 3부터 12까지, 7에 점, 11에 빈 동그라미]
   3 4 5 6 7 8 9 10 11 12
4. 우수, 양호, 탁월, 보통
5. 성수
6. (1) 500   (2) 5100
7. 7012
8. 40000, 30000, 30000
9. 9대
10. 2900개

2 분수의 곱셈

32~33쪽

1. $\frac{1}{4}$, $\frac{3}{4}$ 2. $\frac{1}{3}$, $\frac{2}{3}$ 3. $\frac{1}{4}$, $\frac{3}{4}$
4. $\frac{3}{4}$ 5. $\frac{2}{5}$ 6. $\frac{5}{8}$ 7. $\frac{4}{6}$

---

1. $\frac{5}{3}$ 2. $2\frac{3}{5}$ 3. $\frac{19}{8}$
4. $3\frac{1}{8}$ 5. $\frac{20}{3}$ 6. $2\frac{7}{10}$
7. $5\frac{2}{7}$ 8. $\frac{43}{11}$ 9. $\frac{9}{2}$
10. $5\frac{1}{3}$ 11. $2\frac{5}{6}$ 12. $\frac{43}{15}$
13. $\frac{83}{9}$ 14. $\frac{34}{5}$ 15. $4\frac{4}{5}$

---

1. 5   2. 2   3. 1   4. 27
5. 3   6. 5   7. 2   8. $\frac{1}{2}$
9. $\frac{5}{6}$ 10. $\frac{1}{9}$ 11. $\frac{1}{3}$ 12. $\frac{3}{4}$
13. $\frac{3}{8}$

---

1. $\frac{5}{7}$ 2. $\frac{7}{12}$ 3. $\frac{4}{5}$
4. $\frac{6}{10}\left(=\frac{3}{5}\right)$ 5. $\frac{10}{8}\left(=1\frac{1}{4}\right)$
6. $\frac{16}{12}\left(=1\frac{1}{3}\right)$ 7. $\frac{22}{24}\left(=\frac{11}{12}\right)$
8. $\frac{3}{4}$ 9. $\frac{6}{13}$
10. $\frac{15}{8}\left(=1\frac{7}{8}\right)$ 11. $\frac{6}{15}\left(=\frac{2}{5}\right)$

34쪽

1. 1, 1, 2, 2
2. 1, 1, 1, 1, 1, 5, 5, 1
3. 1, 1, 1, 3
4. 1, 1, 1, 1, 1, 5, 5, $1\frac{1}{4}$
5. $\frac{5}{7}$ 6. $\frac{7}{8}$ 7. $\frac{2}{9}$
8. $\frac{7}{13}$ 9. $\frac{5}{6}$ 10. $\frac{3}{4}$
11. $\frac{3}{10}$ 12. $\frac{8}{15}$ 13. $3\frac{1}{2}$
14. $1\frac{1}{4}$ 15. $2\frac{1}{6}$ 16. 4
17. $1\frac{9}{11}$ 18. $1\frac{8}{9}$ 19. $\frac{13}{20}$

35쪽

1. 3, 3, 3, 3, 9, $1\frac{1}{8}$
2. 7, 7, 7, 7, 7, 4, 28, $3\frac{1}{9}$
3. 3, 3, 3, 3, 9, $2\frac{1}{4}$
4. 2, 2, 2, 2, 2, 2, 10, $3\frac{1}{3}$
5. $3\frac{1}{3}$ 6. $5\frac{1}{4}$ 7. $3\frac{4}{7}$
8. $2\frac{1}{4}$ 9. $10\frac{5}{6}$ 10. $13\frac{1}{2}$
11. $4\frac{1}{2}$ 12. $2\frac{1}{3}$ 13. $2\frac{1}{2}$
14. $9\frac{1}{3}$ 15. $1\frac{8}{13}$ 16. 16
17. $5\frac{1}{3}$ 18. $2\frac{4}{7}$ 19. $2\frac{5}{11}$

36쪽

1. 17, 7, 17, 7, 119, $23\frac{4}{5}$
2. 16, 16, 64, $9\frac{1}{7}$
3. 14, 14, 70, $23\frac{1}{3}$
4. 23, 23, 115, $19\frac{1}{6}$
5. $\frac{12}{5}\times4=\frac{48}{5}=9\frac{3}{5}$
6. $\frac{10}{7}\times8=\frac{80}{7}=11\frac{3}{7}$
7. $\frac{39}{10}\times3=\frac{117}{10}=11\frac{7}{10}$

8. $\dfrac{93}{\cancel{20}_{5}} \times \cancel{4}^{1} = \dfrac{93}{5} = 18\dfrac{3}{5}$

9. $\dfrac{21}{\cancel{8}_{4}} \times \cancel{6}^{3} = \dfrac{63}{4} = 15\dfrac{3}{4}$

10. $\dfrac{15}{2} \times 3 = \dfrac{45}{2} = 22\dfrac{1}{2}$

11. $\dfrac{38}{\cancel{9}_{3}} \times \cancel{6}^{2} = \dfrac{76}{3} = 25\dfrac{1}{3}$

12. $\dfrac{17}{3} \times 4 = \dfrac{68}{3} = 22\dfrac{2}{3}$

13. $\dfrac{43}{\cancel{12}_{3}} \times \cancel{8}^{2} = \dfrac{86}{3} = 28\dfrac{2}{3}$

37쪽

1. 8, 32, 34

2. 2, 5, 10, 25, 10, 3, $13\dfrac{1}{8}$

3. 4, 3, 12, 9, 12, $1\dfrac{2}{7}$, $13\dfrac{2}{7}$

4. $(2\times3) + \left(\dfrac{2}{5}\times3\right) = 6 + \dfrac{6}{5} = 7\dfrac{1}{5}$

5. $(4\times15) + \left(\dfrac{4}{\cancel{9}_{3}}\times\cancel{15}^{5}\right)$
$= 60 + \dfrac{20}{3} = 66\dfrac{2}{3}$

6. $(4\times15) + \left(\dfrac{1}{\cancel{3}_{1}}\times\cancel{15}^{5}\right) = 60 + 5 = 65$

7. $(2\times6) + \left(\dfrac{5}{\cancel{9}_{3}}\times\cancel{6}^{2}\right)$
$= 12 + \dfrac{10}{3} = 15\dfrac{1}{3}$

8. $(1\times8) + \left(\dfrac{3}{\cancel{4}_{1}}\times\cancel{8}^{2}\right) = 8 + 6 = 14$

9. $(3\times21) + \left(\dfrac{5}{\cancel{7}_{1}}\times\cancel{21}^{3}\right)$
$= 63 + 15 = 78$

10. $(1\times9) + \left(\dfrac{1}{\cancel{6}_{2}}\times\cancel{9}^{3}\right)$
$= 9 + \dfrac{3}{2} = 10\dfrac{1}{2}$

11. $(6\times33) + \left(\dfrac{1}{\cancel{11}_{1}}\times\cancel{33}^{3}\right)$
$= 198 + 3 = 201$

12. $(7\times3) + \left(\dfrac{3}{8}\times3\right)$
$= 21 + \dfrac{9}{8} = 22\dfrac{1}{8}$

38쪽

1. $\dfrac{1}{5}\times6 = 1\dfrac{1}{5}$; $1\dfrac{1}{5}$ kg

2. $2\dfrac{2}{3}\times8 = 21\dfrac{1}{3}$; $21\dfrac{1}{3}$ m

3. $\dfrac{5}{8}\times40 = 25$; 25개

4. $\dfrac{1}{7}\times15 = 2\dfrac{1}{7}$; $2\dfrac{1}{7}$ L

5. $2\dfrac{4}{5}\times15 = 42$; 42 g

6. $\dfrac{3}{4}\times5 = 3\dfrac{3}{4}$; $3\dfrac{3}{4}$ L

7. $6\dfrac{1}{3}\times20 = 126\dfrac{2}{3}$; $126\dfrac{2}{3}$ cm²

8. $\dfrac{5}{12}\times21 = 8\dfrac{3}{4}$; $8\dfrac{3}{4}$ kg

39쪽

1. $1\dfrac{1}{3}\times4 = 5\dfrac{1}{3}$; $5\dfrac{1}{3}$ cm

2. $\dfrac{15}{16}\times8 = 7\dfrac{1}{2}$; $7\dfrac{1}{2}$ cm

3. $3\dfrac{4}{5}\times3 = 11\dfrac{2}{5}$; $11\dfrac{2}{5}$ cm

4. $8\dfrac{5}{6}\times6 = 53$; 53 cm

5. $16\dfrac{2}{5}$ m²   6. $10\dfrac{1}{2}$ cm²

7. $13\dfrac{1}{2}$ m²   8. $43\dfrac{4}{7}$ cm²

9. $12\dfrac{2}{3}$ m²   10. $14\dfrac{2}{5}$ cm²

40쪽

1. 1, 1   2. 4, 4, 4, 2

3. 4, 4, $\dfrac{4}{5}$ 4. 3, 3, 1

5. $3\dfrac{1}{5}$ 6. $2\dfrac{2}{3}$ 7. 4

8. $1\dfrac{1}{7}$ 9. $6\dfrac{1}{4}$ 10. 8

11. $1\dfrac{3}{4}$ 12. 4   13. $3\dfrac{1}{3}$

14. $1\dfrac{3}{11}$ 15. $1\dfrac{2}{3}$ 16. $\dfrac{1}{5}$

17. $16\dfrac{1}{5}$ 18. $3\dfrac{5}{6}$ 19. 3

41쪽

1. 3, 21, $4\dfrac{1}{5}$

2. 16, 48, 24, $4\dfrac{4}{5}$

3. 24, 8, 192, 64, $12\dfrac{4}{5}$

4. 14, 3, 42, 21, $5\dfrac{1}{4}$

5. 20, 11, 220, 22, $7\dfrac{1}{3}$

6. $12\dfrac{1}{2}$　**7.** 6　**8.** $15\dfrac{3}{4}$

9. 16　**10.** 10　**11.** 6

12. 15　**13.** $4\dfrac{1}{2}$　**14.** $3\dfrac{1}{3}$

15. $13\dfrac{1}{7}$　**16.** $8\dfrac{1}{2}$　**17.** $5\dfrac{19}{20}$

18. $9\dfrac{1}{15}$　**19.** 14　**20.** 9

42쪽

1. 2, 9, 1, 18

2. 7, 11, 3, 77, $25\dfrac{2}{3}$

3. 3, 34, 1, 102

4. 5, 25, 3, 125, $41\dfrac{2}{3}$

5. $\overset{2}{\cancel{10}}\times\dfrac{9}{\underset{1}{\cancel{5}}}=18$

6. $8\times\dfrac{19}{3}=\dfrac{152}{3}=50\dfrac{2}{3}$

7. $\overset{4}{\cancel{12}}\times\dfrac{4}{\underset{1}{\cancel{3}}}=16$

8. $\overset{1}{\cancel{6}}\times\dfrac{55}{\underset{2}{\cancel{12}}}=\dfrac{55}{2}=27\dfrac{1}{2}$

9. $\overset{1}{\cancel{3}}\times\dfrac{50}{\underset{3}{\cancel{9}}}=\dfrac{50}{3}=16\dfrac{2}{3}$

10. $\overset{1}{\cancel{7}}\times\dfrac{41}{\underset{2}{\cancel{14}}}=\dfrac{41}{2}=20\dfrac{1}{2}$

11. $\overset{3}{\cancel{9}}\times\dfrac{17}{\underset{4}{\cancel{12}}}=\dfrac{51}{4}=12\dfrac{3}{4}$

12. $11\times\dfrac{23}{10}=\dfrac{253}{10}=25\dfrac{3}{10}$

13. $\overset{1}{\cancel{2}}\times\dfrac{39}{\underset{4}{\cancel{8}}}=\dfrac{39}{4}=9\dfrac{3}{4}$

14. $5\times\dfrac{23}{7}=\dfrac{115}{7}=16\dfrac{3}{7}$

15. $\overset{3}{\cancel{6}}\times\dfrac{17}{\underset{1}{\cancel{2}}}=51$

43쪽

1. 3, 1, 15, 5, $15\dfrac{5}{6}$

2. 3, 3, 5, 2, 36, 15, 36, $7\dfrac{1}{2}$, $43\dfrac{1}{2}$

3. 2, 3, 3, 1, 30, 9, 39

4. $(18\times3)+\left(\overset{3}{\cancel{18}}\times\dfrac{5}{\underset{2}{\cancel{12}}}\right)$
$=54+\dfrac{15}{2}=61\dfrac{1}{2}$

5. $(4\times2)+\left(4\times\dfrac{2}{3}\right)=8+\dfrac{8}{3}=10\dfrac{2}{3}$

6. $(5\times2)+\left(\overset{1}{\cancel{5}}\times\dfrac{3}{\underset{4}{\cancel{20}}}\right)$
$=10+\dfrac{3}{4}=10\dfrac{3}{4}$

7. $(18\times3)+\left(\overset{2}{\cancel{18}}\times\dfrac{7}{\underset{1}{\cancel{9}}}\right)=54+14=68$

8. $(14\times3)+\left(\overset{2}{\cancel{14}}\times\dfrac{2}{\underset{1}{\cancel{7}}}\right)=42+4=46$

9. $(27\times1)+\left(\overset{9}{\cancel{27}}\times\dfrac{5}{\underset{2}{\cancel{6}}}\right)$
$=27+\dfrac{45}{2}=49\dfrac{1}{2}$

10. $(12\times1)+\left(\overset{4}{\cancel{12}}\times\dfrac{8}{\underset{3}{\cancel{9}}}\right)$
$=12+\dfrac{32}{3}=22\dfrac{2}{3}$

11. $(15\times1)+\left(\overset{1}{\cancel{15}}\times\dfrac{7}{\underset{2}{\cancel{30}}}\right)$
$=15+\dfrac{7}{2}=18\dfrac{1}{2}$

12. $(18\times2)+\left(\overset{6}{\cancel{18}}\times\dfrac{8}{\underset{5}{\cancel{15}}}\right)$
$=36+\dfrac{48}{5}=45\dfrac{3}{5}$

44쪽

1. $24\times\dfrac{1}{3}=8$; 8권

2. $3\times\dfrac{5}{6}=2\dfrac{1}{2}$; $2\dfrac{1}{2}$ L

3. $12\times\dfrac{7}{8}=10\dfrac{1}{2}$; $10\dfrac{1}{2}$ m

4. $2\times2\dfrac{3}{5}=5\dfrac{1}{5}$; $5\dfrac{1}{5}$ km

5. $120\times\dfrac{7}{10}=84$; 84개

6. $15 \times \dfrac{2}{5} = 6$; 6송이

7. $6 \times 2\dfrac{5}{8} = 15\dfrac{3}{4}$; $15\dfrac{3}{4}$ m

8. $8 \times 3\dfrac{4}{5} = 30\dfrac{2}{5}$; $30\dfrac{2}{5}$ kg

45쪽
1. $10\dfrac{1}{2}$ cm² 　　2. 46 cm²

3. $18\dfrac{3}{4}$ cm² 　　4. $53\dfrac{1}{5}$ cm²

5. 30 cm² 　　6. $42\dfrac{2}{3}$ cm²

7. $39\dfrac{3}{8}$ cm² 　　8. $8\dfrac{2}{3}$ cm²

9. $21\dfrac{6}{7}$ cm² 　　10. $37\dfrac{3}{5}$ cm²

11. $27\dfrac{2}{3}$ cm²

46쪽
1. > 　2. > 　3. > 　4. < 　5. <
6. > 　7. > 　8. > 　9. > 　10. <
11. < 　12. > 　13. > 　14. > 　15. >
16. < 　17. <
18. $2\dfrac{3}{4} \times 24$, $24 \times 2\dfrac{1}{3}$에 ◯표
19. $10 \times 1\dfrac{1}{3}$, $5\dfrac{1}{2} \times 10$에 ◯표
20. $33 \times 1\dfrac{2}{3}$, $5\dfrac{1}{14} \times 33$에 ◯표

47쪽
1. < 　2. < 　3. > 　4. > 　5. >
6. < 　7. > 　8. > 　9. > 　10. <
11. < 　12. < 　13. > 　14. <

48쪽
1. $4, \dfrac{1}{20}$ 　　2. $6, \dfrac{1}{48}$

3. $7, \dfrac{1}{56}$ 　　4. $7, 10, \dfrac{1}{70}$

5. $\dfrac{1}{81}$ 　6. $\dfrac{1}{28}$ 　7. $\dfrac{1}{72}$ 　8. $\dfrac{1}{26}$

9. $\dfrac{1}{78}$ 　10. $\dfrac{1}{48}$ 　11. $\dfrac{1}{18}$ 　12. $\dfrac{1}{25}$

13. $\dfrac{1}{40}$ 　14. $\dfrac{1}{9}$ 　15. $\dfrac{1}{28}$ 　16. $\dfrac{1}{40}$

17. $\dfrac{1}{27}$ 　18. $\dfrac{1}{36}$ 　19. $\dfrac{1}{48}$ 　20. $\dfrac{1}{21}$

21. $\dfrac{1}{44}$ 　22. $\dfrac{1}{60}$

49쪽
1. > 　2. < 　3. = 　4. >
5. = 　6. > 　7. < 　8. <
9. = 　10. < 　11. = 　12. <
13. < 　14. = 　15. < 　16. =
17. > 　18. < 　19. < 　20. >

50쪽
1. $\dfrac{5}{24}$ 　2. $\dfrac{7}{26}$ 　3. $\dfrac{1}{14}$

4. $\dfrac{5}{16}$ 　5. $\dfrac{2}{63}$ 　6. $\dfrac{7}{50}$

7. $\dfrac{1}{34}$ 　8. $\dfrac{5}{56}$ 　9. $\dfrac{2}{51}$

10. $\dfrac{1}{108}$ 　11. $\dfrac{2}{27}$ 　12. $\dfrac{3}{22}$

13. $\dfrac{3}{85}$ 　14. $\dfrac{3}{52}$ 　15. $\dfrac{2}{19}$

16. $\dfrac{8}{243}$ 　17. $\dfrac{7}{48}$ 　18. $\dfrac{1}{68}$

19. $\dfrac{13}{45}$ 　20. $\dfrac{1}{80}$

51쪽
1. = 　2. < 　3. < 　4. =
5. > 　6. < 　7. > 　8. >
9. < 　10. = 　11. < 　12. >
13. < 　14. =

52쪽
1. $15, \dfrac{5}{8}$ 　2. $\dfrac{9}{20}$ 　3. $10, \dfrac{5}{9}$

4. $3, \dfrac{10}{27}$ 　5. $2, \dfrac{7}{16}$

6. $8, 9, 2, \dfrac{2}{3}$ 　　7. $9, 10, 21, \dfrac{21}{40}$

8. $\dfrac{1}{12}$ 　9. $\dfrac{1}{10}$ 　10. $\dfrac{13}{24}$

11. $\dfrac{1}{7}$ 　12. $\dfrac{7}{18}$ 　13. $\dfrac{64}{125}$

14. $\dfrac{5}{18}$ 　15. $\dfrac{5}{33}$ 　16. $\dfrac{1}{12}$

17. $\dfrac{21}{32}$ 　18. $\dfrac{1}{4}$ 　19. $\dfrac{13}{21}$

53쪽
1. (◯)(　) 　　2. (　)(◯)
3. (　)(◯) 　　4. (◯)(　)
5. (◯)(　) 　　6. (◯)(　)
7. (◯)(　) 　　8. (　)(◯)
9. (　)(◯) 　　10. (　)(◯)
11. (◯)(　) 　　12. (◯)(　)

54쪽

1. 8, 8, $\dfrac{4}{5}$ 2. 24, 21, $4\dfrac{1}{5}$

3. 1, 3, $\dfrac{3}{2}$, $1\dfrac{1}{2}$ 4. 3, 1, 3

5. $2\dfrac{2}{9}$ 6. $4\dfrac{6}{7}$ 7. $1\dfrac{2}{13}$

8. $3\dfrac{8}{45}$ 9. $2\dfrac{1}{2}$ 10. $3\dfrac{7}{8}$

11. $10\dfrac{2}{11}$ 12. $14\dfrac{2}{5}$ 13. $2\dfrac{1}{3}$

14. $2\dfrac{19}{42}$ 15. $3\dfrac{3}{4}$ 16. $4\dfrac{8}{9}$

55쪽

1. < 2. < 3. > 4. >

5. < 6. = 7. > 8. <

9. < 10. < 11. > 12. <

56쪽

1. 2, 7, 1, 14, $4\dfrac{2}{3}$

2. 7, 1, 3, 21, $2\dfrac{5}{8}$

3. 1, 17, 1, 17, $3\dfrac{2}{5}$

4. 3, 9, 1, 27, $6\dfrac{3}{4}$

5. $4\dfrac{1}{2}$ 6. 3 7. $7\dfrac{9}{13}$

8. 2 9. 18 10. $13\dfrac{3}{5}$

11. $5\dfrac{3}{40}$ 12. $12\dfrac{1}{3}$ 13. $5\dfrac{13}{16}$

14. $4\dfrac{4}{9}$ 15. $42\dfrac{2}{3}$ 16. $8\dfrac{1}{3}$

57쪽

1. ( )(○) 2. (○)( )

3. (○)( ) 4. ( )(○)

5. (○)( ) 6. ( )(○)

7. (○)( ) 8. ( )(○)

9. (○)( ) 10. ( )(○)

58쪽

1. 2, 1, 1, 10, 2, $\dfrac{1}{20}$

2. 1, 1, 1, 2, $\dfrac{3}{14}$ 3. 1, 2, $\dfrac{2}{7}$

4. $\dfrac{1}{15}$ 5. $\dfrac{1}{6}$ 6. $\dfrac{3}{8}$

7. $\dfrac{25}{42}$ 8. $\dfrac{1}{3}$ 9. $\dfrac{3}{50}$

10. $\dfrac{35}{143}$ 11. $\dfrac{1}{27}$ 12. $\dfrac{7}{34}$

13. $\dfrac{10}{117}$

59쪽

1. 2, 1, 2, 1, $\dfrac{2}{7}$

2. 14, 5, 3, 1, 1, 2, 21, $5\dfrac{1}{4}$

3. 3 4. $\dfrac{14}{27}$ 5. $2\dfrac{2}{17}$

6. 6 7. $7\dfrac{5}{7}$ 8. $7\dfrac{1}{2}$

9. $\dfrac{9}{13}$ 10. $\dfrac{4}{5}$ 11. $2\dfrac{11}{32}$

12. 42

60~61쪽

1. 15, $1\dfrac{7}{8}$ 2. 3, $\dfrac{3}{8}$

3. (1) $23\dfrac{3}{4}$ (2) $\dfrac{1}{225}$ (3) $1\dfrac{1}{75}$

4. $5\dfrac{1}{16}$ cm² 5. $12\dfrac{2}{3}$ cm²

6. >

7. ㉠ ; $2\dfrac{5}{6}\times3=\dfrac{17}{\underset{2}{6}}\times\overset{1}{3}=\dfrac{17}{2}=8\dfrac{1}{2}$

8. $1\dfrac{1}{9}$ L 9. $6\dfrac{1}{5}$이랑

3 합동과 대칭

64~65쪽

1. 110° 2. 25°

3. 예

4. 예

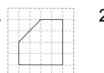

1. 50° 2. 65° 3. 175° 4. 79°
5. 165° 6. 105° 7. 70° 8. 10°
9. 75° 10. 25° 11. 66° 12. 50°
13. 55° 14. 95° 15. 33°

1. 45 2. 85 3. 125
4. 90 5. 45

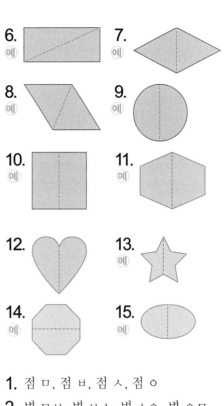

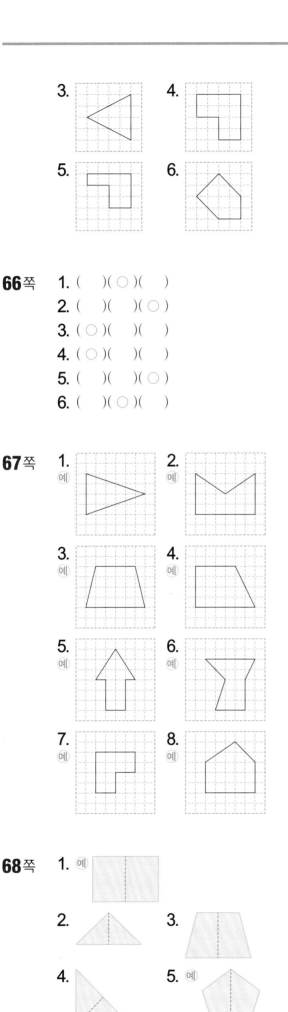

66쪽
1. ( )(○)( )
2. ( )( )(○)
3. (○)( )( )
4. (○)( )( )
5. ( )( )(○)
6. ( )(○)( )

67쪽

68쪽

69쪽
1. 점 ㅁ, 점 ㅂ, 점 ㅅ, 점 ㅇ
2. 변 ㅁㅂ, 변 ㅂㅅ, 변 ㅅㅇ, 변 ㅇㅁ
3. 각 ㅁㅂㅅ, 각 ㅂㅅㅇ, 각 ㅅㅇㅁ, 각 ㅇㅁㅂ
4. 점 ㄹ, 점 ㅂ, 점 ㅁ
5. 변 ㄹㅂ, 변 ㅂㅁ, 변 ㅁㄹ
6. 각 ㄹㅂㅁ, 각 ㅂㅁㄹ, 각 ㅁㄹㅂ

70쪽
(왼쪽부터)
1. 7, 5   2. 8, 5   3. 2, 3, 4
4. 12, 6   5. 7, 2   6. 5, 10
7. 5, 3   8. 11, 5, 8   9. 6, 4
10. 5, 3, 4

71쪽
(왼쪽부터)
1. 60, 90   2. 70, 50
3. 105, 45   4. 80, 110
5. 120, 100   6. 95, 50
7. 70, 90   8. 80, 130
9. 60, 30, 90   10. 60, 100, 80

72쪽
1. 60   2. 100   3. 60   4. 125
5. 120   6. 125   7. 145   8. 40
9. 80   10. 15

73쪽
1. ○   2. ○   3. ×   4. ○   5. ×
6. ○   7. ×   8. ○   9. ○

10.   **11.**

12.   **13.**

14.   **15.**

74쪽   **1.** 점 ㅁ, 점 ㄹ

2. 변 ㅁㄹ, 변 ㄹㄷ, 변 ㅁㅂ

3. 각 ㅁㄹㄷ, 각 ㄹㅁㅂ

4. 점 ㅁ, 점 ㄹ

5. 변 ㅁㄹ, 변 ㄹㄷ, 변 ㅁㅂ

6. 각 ㅁㄹㄷ, 각 ㄹㅁㅂ

75쪽   (위부터)

1. 6, 75   **2.** 9, 40   **3.** 35, 8

4. 80, 11   **5.** 120, 4   **6.** 100, 8

7. 5, 70   **8.** 7, 95   **9.** 7, 115

10. 60, 10

76쪽   **1.**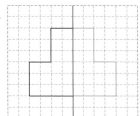

2.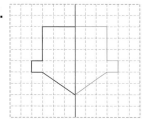

3.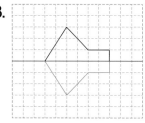

4.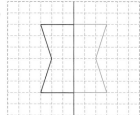

5.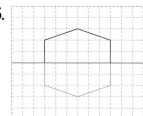

6.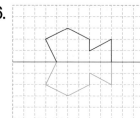

7.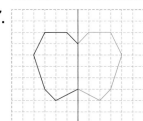

8.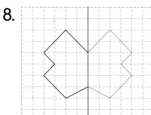

77쪽   **1.** ○   **2.** ×   **3.** ○   **4.** ×   **5.** ○
6. ×   **7.** ○   **8.** ○   **9.** ×

10. 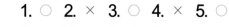   **11.**

12.   **13.**

14.   **15.**

78쪽   **1.** 점 ㄷ, 점 ㄹ   **2.** 변 ㄷㄹ, 변 ㄹㄱ

3. 각 ㄷㄹㄱ, 각 ㄹㄱㄴ

4. 점 ㄹ, 점 ㅁ, 점 ㅂ

5. 변 ㄹㅁ, 변 ㅁㅂ, 변 ㅂㄱ

6. 각 ㄹㅁㅂ, 각 ㅁㅂㄱ, 각 ㅂㄱㄴ

79쪽

1. (왼쪽부터) 80, 9

2. (위부터) 10, 110

3. (위부터) 5, 90

4. (위부터) 140, 7

5. (왼쪽부터) 7, 10

6. (왼쪽부터) 85, 95

7. (왼쪽부터) 6, 120

8. (왼쪽부터) 60, 10

9. (왼쪽부터) 8, 95

10. (위부터) 150, 75, 3

80쪽

1.
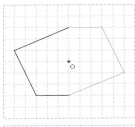

2.
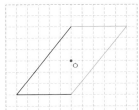

3.
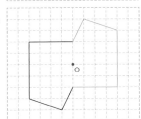

4.
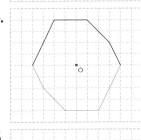

5.
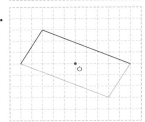

6.
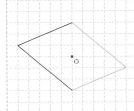

7.
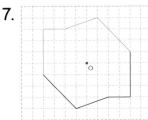

8.
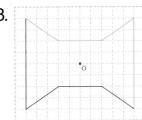

81쪽

1. 24 cm　2. 38 cm　3. 42 cm

4. 62 cm　5. 38 cm　6. 44 cm

7. 52 cm　8. 48 cm

82~83쪽

1. 합동　　　2. 6, 6

3. 가, 다, 라, 마　4. 나, 마

5. (위부터) 13, 30

6.
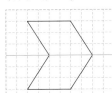

7.
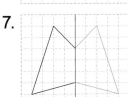

8. 60°　　　9. 36 cm

10.
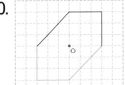

4 소수의 곱셈

1. 0.4   2. 0.94   3. 9.2
4. 0.605   5. 0.584   6. 12.214
7. 3.55   8. $\frac{95}{100}\left(=\frac{19}{20}\right)$
9. $\frac{49}{100}$ 10. $\frac{9}{100}$ 11. $4\frac{1}{10}$
12. $2\frac{39}{100}$ 13. $3\frac{44}{100}\left(=3\frac{11}{25}\right)$

1. >   2. <   3. >   4. <
5. >   6. >   7. <   8. >

1. 10.55   2. 2.72   3. 12.76
4. 2.488   5. 0.065   6. 6.39
7. 7.56   8. 1.92   9. 11.86
10. 5.67   11. 6.465   12. 8.15
13. 3.18

1. $\frac{1}{21}$ 2. $\frac{1}{24}$ 3. 33
4. $6\frac{3}{4}$ 5. $10\frac{1}{2}$ 6. $\frac{1}{6}$
7. $4\frac{2}{5}$ 8. $3\frac{3}{4}$ 9. $\frac{10}{27}$
10. $5\frac{4}{5}$ 11. $8\frac{1}{3}$ 12. $19\frac{3}{7}$
13. $37\frac{1}{2}$

1. 7, 7, 42, 4.2   2. 6, 6, 24, 2.4
3. 2, 2, 14, 1.4   4. 9, 9, 27, 2.7
5. 2, 2, 28, 2.8   6. 5, 5, 30, 3
7. 9, 9, 54, 5.4   8. 7, 7, 35, 3.5
9. 4, 4, 32, 3.2   10. 6, 6, 72, 7.2
11. 3, 3, 45, 4.5

1. 2.8   2. 8.1   3. 1.2   4. 4.9
5. 5.6   6. 2   7. 4.5   8. 2.4
9. 1.4   10. 2.1   11. 1.8   12. 0.9
13. 2.4   14. 2   15. 1.8   16. 4
17. 3.2   18. 4.2   19. 4.8   20. 3.6
21. 1.5

1. 17, 17, 51, 0.51
2. 54, 54, 108, 1.08
3. 7, 7, 56, 0.56
4. 85, 85, 510, 5.1
5. 28, 28, 252, 2.52
6. 33, 33, 99, 0.99
7. 4, 4, 80, 0.8
8. 92, 92, 368, 3.68
9. 63, 63, 441, 4.41
10. 9, 9, 72, 0.72
11. 41, 41, 205, 2.05

1. 2.4   2. 0.12   3. 5.74   4. 2.94
5. 1.12   6. 2.01   7. 6.66   8. 1.44
9. 3.57   10. 3.72   11. 5.46
12. 2.55   13. 1.26   14. 1.78
15. 2.6   16. 0.1   17. 4.38
18. 4.32   19. 1.38   20. 1.45
21. 4.5

1. 23, 23, 69, 6.9
2. 54, 54, 162, 16.2
3. 89, 89, 356, 35.6
4. 16, 16, 112, 11.2
5. 43, 43, 344, 34.4
6. 79, 79, 158, 15.8
7. 75, 75, 300, 30
8. 54, 54, 486, 48.6
9. 63, 63, 315, 31.5
10. 44, 44, 88, 8.8
11. 92, 92, 460, 46
12. 11, 11, 77, 7.7

1. 18.5   2. 22.8   3. 45.5
4. 16.8   5. 14.6   6. 20.8
7. 34.2   8. 28.2   9. 43.5
10. 11   11. 24.3   12. 9.2
13. 59.2   14. 15   15. 7.4
16. 51.1   17. 15.2   18. 49.6
19. 5.2   20. 35.2   21. 11.4

94쪽
1. 192, 192, 384, 3.84
2. 275, 275, 825, 8.25
3. 605, 605, 3025, 30.25
4. 312, 312, 1248, 12.48
5. 537, 537, 1074, 10.74
6. 254, 254, 1778, 17.78
7. 367, 367, 2202, 22.02
8. 105, 105, 210, 2.1
9. 502, 502, 2008, 20.08
10. 258, 258, 1548, 15.48
11. 815, 815, 2445, 24.45
12. 721, 721, 3605, 36.05

95쪽
1. 6.34 2. 6.28 3. 5.25
4. 6.84 5. 9.55 6. 5.14
7. 21.15 8. 8.44 9. 7.56
10. 6.9 11. 13.62 12. 14.88
13. 27.24 14. 26.88 15. 43.6
16. 8.31 17. 30.9 18. 6.27
19. 14.84 20. 59.01 21. 43.74

96쪽
1. 8, 8, 32, 3.2 2. 6, 6, 42, 4.2
3. 4, 4, 36, 3.6 4. 7, 7, 14, 1.4
5. 5, 5, 30, 3 6. 2, 2, 22, 2.2
7. 8, 8, 56, 5.6 8. 3, 3, 9, 0.9
9. 6, 6, 90, 9 10. 8, 8, 40, 4
11. 5, 5, 45, 4.5 12. 7, 7, 147, 14.7

97쪽
1. 4.2 2. 1.2 3. 5.2
4. 3.6 5. 2.1 6. 15
7. 6.3 8. 5.6 9. 14.4
10. 1.6 11. 2 12. 9.5
13. 4.9 14. 3.5 15. 10.8
16. 2.4 17. 1.6 18. 6.4
19. 1.5 20. 10.6 21. 7.2

98쪽
1. 12, 12, 96, 0.96
2. 7, 7, 35, 0.35
3. 29, 29, 232, 2.32
4. 48, 48, 240, 2.4
5. 84, 84, 168, 1.68
6. 9, 9, 63, 0.63

7. 82, 82, 492, 4.92
8. 11, 11, 33, 0.33
9. 54, 54, 486, 4.86
10. 62, 62, 310, 3.1
11. 31, 31, 341, 3.41
12. 33, 33, 561, 5.61

99쪽
1. 0.21 2. 3.92 3. 1.72
4. 4.16 5. 3.33 6. 1.75
7. 4.14 8. 1.48 9. 1.82
10. 5.67 11. 4.56 12. 0.12
13. 3.52 14. 0.64 15. 0.78
16. 1.52 17. 0.74 18. 1.12
19. 2.35 20. 0.12 21. 0.52

100쪽
1. 72, 72, 288, 28.8
2. 37, 37, 185, 18.5
3. 47, 47, 376, 37.6
4. 27, 27, 54, 5.4
5. 19, 19, 57, 5.7
6. 43, 43, 215, 21.5
7. 83, 83, 664, 66.4
8. 12, 12, 72, 7.2
9. 46, 46, 138, 13.8
10. 75, 75, 300, 30
11. 36, 36, 324, 32.4
12. 93, 93, 744, 74.4

101쪽
1. 19.6 2. 68.6 3. 16.6
4. 11.1 5. 25.6 6. 22.5
7. 43.2 8. 38.7 9. 81
10. 4.2 11. 52.2 12. 16
13. 43.2 14. 14.4 15. 52
16. 2.8 17. 32.9 18. 25.2
19. 6 20. 18.8 21. 89.9

102쪽
1. 214, 214, 1498, 14.98
2. 495, 495, 1485, 14.85
3. 216, 216, 1296, 12.96
4. 133, 133, 665, 6.65
5. 411, 411, 1644, 16.44
6. 348, 348, 696, 6.96

7. 138, 138, 552, 5.52
8. 513, 513, 3078, 30.78
9. 939, 939, 3756, 37.56
10. 715, 715, 5720, 57.2
11. 621, 621, 6831, 68.31
12. 545, 545, 40330, 403.3

103쪽
1. 15.1   2. 7.17   3. 17.14
4. 82.26   5. 6.56   6. 50.04
7. 29.8   8. 74.75   9. 334.88
10. 7.44   11. 6.25   12. 5.13
13. 28.44   14. 33.54   15. 73.08
16. 31.52   17. 242   18. 22
19. 35.88   20. 171.57   21. 170.24

104쪽
1. 5, 3, 15, 0.15   2. 7, 5, 35, 0.35
3. 4, 6, 24, 0.24   4. 8, 7, 56, 0.56
5. 4, 9, 36, 0.36   6. 3, 8, 24, 0.24
7. 6, 3, 18, 0.18   8. 8, 5, 40, 0.4
9. 2, 9, 18, 0.18   10. 6, 8, 48, 0.48
11. 3, 5, 15, 0.15   12. 7, 4, 28, 0.28
13. 9, 3, 27, 0.27   14. 4, 8, 32, 0.32

105쪽
1. 0.14   2. 0.54   3. 0.24
4. 0.2   5. 0.49   6. 0.36
7. 0.32   8. 0.1   9. 0.63
10. 0.21   11. 0.04   12. 0.28
13. 0.25   14. 0.42   15. 0.21
16. 0.45   17. 0.72   18. 0.35
19. 0.12   20. 0.48   21. 0.18

106쪽
1. 6, 13, 78, 0.078
2. 33, 7, 231, 0.231
3. 72, 3, 216, 0.216
4. 5, 32, 160, 0.16
5. 25, 4, 100, 0.1
6. 17, 9, 153, 0.153
7. 8, 45, 360, 0.36
8. 3, 91, 273, 0.273

9. 68, 2, 136, 0.136
10. 38, 4, 152, 0.152
11. 2, 21, 42, 0.042
12. 9, 98, 882, 0.882

107쪽
1. 0.018   2. 0.203   3. 0.108
4. 0.056   5. 0.144   6. 0.511
7. 0.468   8. 0.522   9. 0.232
10. 0.355   11. 0.054   12. 0.675
13. 0.128   14. 0.126   15. 0.488
16. 0.261   17. 0.208   18. 0.21
19. 0.166   20. 0.077   21. 0.336

108쪽
1. 12, 37, 444, 0.0444
2. 42, 5, 210, 0.021
3. 95, 6, 570, 0.057
4. 35, 21, 735, 0.0735
5. 71, 33, 2343, 0.2343
6. 9, 86, 774, 0.0774
7. 23, 43, 989, 0.0989
8. 83, 71, 5893, 0.5893
9. 62, 31, 1922, 0.1922
10. 22, 9, 198, 0.0198
11. 97, 2, 194, 0.0194
12. 8, 64, 512, 0.0512

109쪽
1. 0.0918   2. 0.1054   3. 0.0477
4. 0.0672   5. 0.0238   6. 0.18
7. 0.1209   8. 0.3645   9. 0.11
10. 0.0336   11. 0.0406   12. 0.038
13. 0.1001   14. 0.0645   15. 0.0506
16. 0.2356   17. 0.0222   18. 0.1215
19. 0.0165   20. 0.3124   21. 0.5035

110쪽
1. 24, 38, 912, 9.12
2. 49, 16, 784, 7.84
3. 72, 39, 2808, 28.08
4. 58, 63, 3654, 36.54
5. 17, 23, 391, 3.91
6. 45, 89, 4005, 40.05
7. 33, 62, 2046, 20.46

8. 15, 47, 705, 7.05
9. 48, 12, 576, 5.76
10. 43, 64, 2752, 27.52
11. 38, 52, 1976, 19.76
12. 79, 52, 4108, 41.08

111쪽
1. 2.86 2. 14.72 3. 12.18
4. 15.3 5. 34.86 6. 2.04
7. 30.66 8. 19.24 9. 25.46
10. 8.1 11. 22.41 12. 24.18
13. 15.98 14. 39.6 15. 11.44
16. 46.5 17. 26.32 18. 6.15
19. 19.68 20. 48.19 21. 9.5

112쪽
1. 16, 224, 3584, 3.584
2. 533, 27, 14391, 14.391
3. 174, 52, 9048, 9.048
4. 106, 24, 2544, 2.544
5. 849, 97, 82353, 82.353
6. 15, 342, 5130, 5.13
7. 34, 245, 8330, 8.33
8. 644, 12, 7728, 7.728
9. 436, 42, 18312, 18.312
10. 38, 151, 5738, 5.738
11. 96, 706, 67776, 67.776
12. 875, 14, 12250, 12.25

113쪽
1. 13.41 2. 24.605 3. 12.42
4. 3.836 5. 21.522 6. 61.068
7. 13.632 8. 6 9. 37.296
10. 11.648 11. 38.372 12. 51.576
13. 6.675 14. 28.504 15. 9.266
16. 14.837 17. 10.83 18. 17.472
19. 5.043 20. 16.038 21. 23.485

114쪽
1. 342, 451, 154242, 15.4242
2. 953, 154, 146762, 14.6762
3. 347, 482, 167254, 16.7254
4. 331, 504, 166824, 16.6824
5. 614, 188, 115432, 11.5432
6. 136, 374, 50864, 5.0864

7. 168, 462, 77616, 7.7616
8. 622, 738, 459036, 45.9036
9. 371, 974, 361354, 36.1354
10. 109, 248, 27032, 2.7032
11. 395, 422, 166690, 16.669
12. 642, 738, 473796, 47.3796

115쪽
1. 3.9 2. 17.6256 3. 14.801
4. 17.1315 5. 23.4117 6. 30.5158
7. 25.7907 8. 5.1092 9. 8.5449
10. 36.0547 11. 13.7984
12. 10.5905 13. 7.6734
14. 6.7872 15. 6.9208
16. 13.9812 17. 15.5502
18. 14.942 19. 6.8766
20. 14.5722 21. 3.3264

116쪽
1. 2.3, 23, 230
2. 47.4, 474, 4740
3. 2.78, 27.8, 278
4. 13.19, 131.9, 1319
5. 67.03, 670.3, 6703
6. 5.5, 55, 550
7. 59.6, 596, 5960
8. 0.63, 6.3, 63
9. 7.032, 70.32, 703.2
10. 28.45, 284.5, 2845

117쪽
1. 5.2, 0.52, 0.052
2. 29, 2.9, 0.29
3. 81.6, 8.16, 0.816
4. 501.4, 50.14, 5.014
5. 40.8, 4.08, 0.408
6. 6.7, 0.67, 0.067
7. 72, 7.2, 0.72
8. 2.4, 0.24, 0.024
9. 32.6, 3.26, 0.326
10. 100.5, 10.05, 1.005

118쪽
1. 10, 100, 1000 2. 10, 1000, 100
3. 100, 10, 1000 4. 10, 100, 1000
5. 100, 1000, 10

6. 0.1, 0.01, 0.001
7. 0.1, 0.001, 0.01
8. 0.01, 0.001, 0.1
9. 0.01, 0.001, 0.1
10. 0.1, 0.001, 0.01

119쪽
1. 375, 3.75
2. 8151, 81.51
3. 49020, 4.902
4. 68780, 6.878
5. 3034, 3.034
6. 6278, 62.78
7. 27880, 27.88
8. 552, 0.552
9. 89250, 8.925
10. 49840, 4.984

120쪽
1. 35.28, 3.528, 0.3528
2. 9.345, 93.45, 9.345
3. 3.468, 3.468, 34.68
4. 73.87, 7.387, 7.387
5. 74.56, 7.456, 7.456
6. 17.1, 1.71, 1.71
7. 62.832, 62.832, 6.2832
8. 8.37, 0.837, 0.0837

121쪽
1. 6.32
2. 6.32
3. 63.2
4. 0.19
5. 19
6. 1.9
7. 3.1
8. 3.1
9. 0.31
10. 0.248
11. 248
12. 2.48
13. 3.65
14. 36.5
15. 0.365
16. 6.2
17. 6.2
18. 6.2

122~123쪽
1. 3, 3, 21, 2.1 /
(위부터) 21, $\frac{1}{10}$, 2.1
2. (1) 1.8 (2) 0.315
3. 42.19, 421.9, 4219
4. 13.2, 1.32, 0.132
5. 3.52
6. <
7. (1) 3.8 (2) 0.27
8. 11.22 m
9. 0.425 m^2
10. 76.8 kg

5 직육면체

126~127쪽
1. ○
2. ×
3. ○
4. ×
5. ○
(왼쪽부터) 6. 5, 4
7. 6, 8

1. ×
2. ○
3. ×
4. ×
5. ○
6. 7, 7
7. 5, 5

1. ○
2. ×
3. ○
4. ○
5. ×
6. 직선 다
7. 직선 라

1. ○
2. ×
3. ○
4. ×
5. ○

6.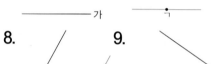
7.

8. 9.

128쪽
1. ○
2. ×
3. ○
4. ×
5. ×
6. ○
7. ○
8. ×
9. ×
10. ×
11. ×
12. ×
13. ○
14. ○

129쪽
1. 정, 직
2. 직
3. ×
4. 직
5. ×
6. ×
7. 정, 직
8. ×
9. 정, 직
10. 직
11. ×
12. 직
13. ×
14. ×

130쪽
1.
2.
3.
4.

5. 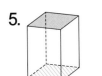 **6.**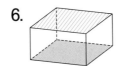

7. 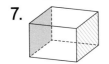 **8.**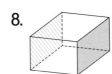

9.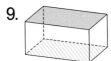

10. 면 ㄹㄷㅅㅇ **11.** 면 ㄴㅂㅅㄷ
12. 면 ㄱㄴㄷㄹ **13.** 면 ㄱㄴㅂㅁ

131쪽 **1.** ㄱㄴㄷㄹ **2.** 22 cm
3. ㄱㄴㅂㅁ **4.** 18 cm
5. ㄱㅁㅇㄹ **6.** 28 cm
7. ㄴㅂㅅㄷ **8.** 28 cm

132쪽 **1.** 면 ㅁㅂㅅㅇ에 ×표
2. 면 ㄹㄷㅅㅇ에 ×표
3. 면 ㄴㅂㅅㄷ에 ×표
4. 면 ㄱㄴㄷㄹ에 ×표
5. 면 ㄴㅂㅅㄷ, 면 ㄷㅅㅇㄹ,
   면 ㄱㅁㅇㄹ, 면 ㄱㄴㅂㅁ
6. 면 ㄱㄴㄷㄹ, 면 ㄴㅂㅅㄷ,
   면 ㅁㅂㅅㅇ, 면 ㄱㅁㅇㄹ
7. 면 ㄴㅂㅅㄷ, 면 ㄷㅅㅇㄹ,
   면 ㄱㅁㅇㄹ, 면 ㄱㄴㅂㅁ
8. 면 ㄱㄴㄷㄹ, 면 ㄷㅅㅇㄹ,
   면 ㅁㅂㅅㅇ, 면 ㄴㅂㅁㄱ
9. 면 ㄱㄴㄷㄹ, 면 ㄴㅂㅅㄷ,
   면 ㅁㅂㅅㅇ, 면 ㄱㅁㅇㄹ
10. 면 ㄱㄴㄷㄹ, 면 ㄹㄷㅅㅇ,
   면 ㅁㅂㅅㅇ, 면 ㄱㄴㅂㅁ

133쪽 **1.** × **2.** ○ **3.** ×
4. × **5.** ○ **6.** ×
7. ○ **8.** ○ **9.** ×
10. ○ **11.** × **12.** ×
13. ○ **14.** ×

134쪽 **1.**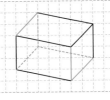

2.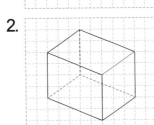

3.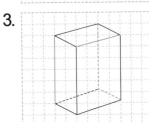

4.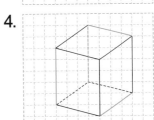

5.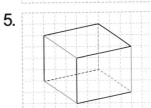

6.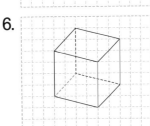

7.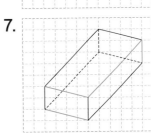

8.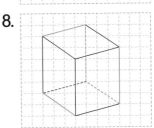

135쪽 **1.** 36 cm **2.** 42 cm **3.** 36 cm
4. 57 cm **5.** 84 cm **6.** 54 cm
7. 18 cm **8.** 17 cm **9.** 13 cm
10. 21 cm

136쪽 **1.**

1 cm
1 cm
(예)

2.

1 cm
1 cm
(예)

3.

1 cm
1 cm
(예)

4.

1 cm
1 cm
(예)

137쪽 **1.**

2.

3.

4.

5.

6.

7.

8.

9.

10.

138쪽 (위부터)
1. ㄹ, ㄴ ; ㅇ, ㅂ **2.** ㄱ ; ㅂ, ㅅ ; ㅅ
3. ㅁ ; ㅂ, ㄹ ; ㅂ **4.** ㅁ, ㅇ ; ㅂ ; ㅇ
5. ㄱ, ㅁ ; ㅂ, ㅅ **6.** ㄹ ; ㅇ, ㄴ ; ㄴ
7. ㄱ ; ㅇ ; ㄴ ; ㄹ **8.** ㄹ ; ㄷ ; ㅁ, ㅇ

139쪽 **1.** × **2.** × **3.** ○ **4.** ×
5. ○ **6.** ○ **7.** × **8.** ×
9. ○ **10.** ×

140쪽
1. 점 ㅋ
2. 선분 ㅅㅂ
3. 점 ㅎ
4. 선분 ㄴㄷ
5. 점 ㅂ
6. 선분 ㄱㄴ
7. 점 ㅍ, 점 ㅈ
8. 선분 ㅊㅈ

141쪽

1. 예) 1 cm, 1 cm
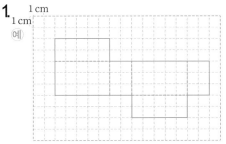

2. 예) 1 cm, 1 cm
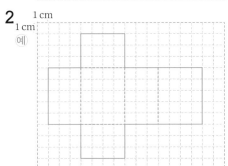

3. 예) 1 cm, 1 cm
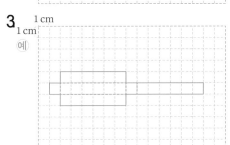

4. 예) 1 cm, 1 cm
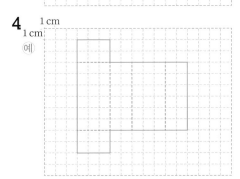

142~143쪽
1. ㉢
2. (위부터) 꼭짓점, 모서리, 면
3. 면 ㄱㄴㅂㅁ
4. 면 ㄱㄴㄷㄹ
5. ( )( )( )(○)
6. 4개씩 3쌍
7.

8. (왼쪽부터) 9, 4, 6
9.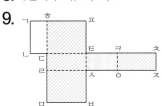
10. 점 ㄱ, 점 ㅈ

6 평균과 가능성

146~147쪽

1.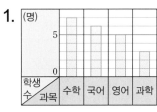

2.

3.

1. 운동, 학생 수
2. 1명
3. 8명
4. 태권도
5. 축구

1. 날짜, 키
2. 1 cm
3. 11 cm
4. 8일
5. 예) 약 7 cm
6. 1명
7. 2017년
8. 142명
9. 2017년과 2018년 사이
10. 2016년

148쪽
1. 6개
2. 8개
3. 6개
4. 4점

5.
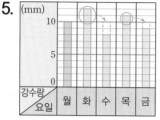
; 10 mm

6.
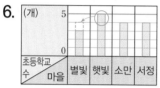
; 4개

7.
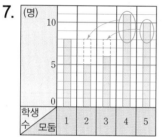
; 8명

149쪽
1. 6명
2. 25명
3. 79분
4. 10초
5. 8 ℃
6. 80점
7. 6개
8. 30번
9. 12번
10. 120명

150쪽
1. 5개
2. 43 kg
3. 150 cm
4. 7자루
5. 65점
6. 15점
7. 38번
8. 7개

151쪽
1. 4권, 3권, 5권 ; 모둠 3
2. 7개, 8개, 5개 ; 모둠 2
3. 12점, 13점, 10점 ; 모둠 2
4. 13개, 12개, 14개 ; 모둠 3
5. 180 mL, 160 mL, 190 mL
; 모둠 3
6. 5개, 4개, 4개 ; 모둠 1
7. 7개, 9개, 8개 ; 모둠 2
8. 132 cm, 130 cm, 128 cm
; 모둠 1

152쪽
1. 22
2. 23
3. 115
4. 92
5. 2100
6. 112
7. 150
8. 7
9. 30
10. 2400

153쪽
1. 42
2. 4
3. 94
4. 90
5. 59
6. 94

154쪽
1. 70점
2. 126번
3. 46분
4. 170 cm
5. 7개
6. 15개
7. 11초
8. 138 cm

155쪽
1.
2.

156쪽
1. 가
2. 가
3. 나
4. 가
5. 나
6. 나
7. 라, 다, 가, 나
8. 다, 나, 라, 가

157쪽
1. 0
2. $\frac{1}{2}$
3. 1
4. 0
5. 1
6. $\frac{1}{2}$
7. $\frac{1}{2}$
8. 1
9. 0
10. $\frac{1}{2}$

158~
159쪽
1. 26명
2. (위부터) 예) 확실하다에 ○표 ;
~일 것 같다에 ○표 ;
불가능하다에 ○표
3. 6개
4. 15
5. $\frac{1}{2}$
6. $\frac{1}{2}$
7. 6개, 7개
8. 영지
9. 예)

최강 **단원별** 연산

계산박사

POWER

정답지

10 단계

주의 책 모서리에 다칠 수 있으니 주의하시기 바랍니다.
부주의로 인한 사고의 경우 책임지지 않습니다.